LES ENQUÊTES
D'HERCULE POIROT

Liste alphabétique complète des

Romans d'Agatha Christie

(Masque et Club des Masques)

	Masque	Club des masques
A.B.C. contre Poirot	263	296
L'affaire Prothéro	114	36
A l'hôtel Bertram	951	104
Allô ! Hercule Poirot ?	1175	284
Associés contre le crime	1219	244
Le bal de la victoire	1655	
Cartes sur table	274	364
Le chat et les pigeons	684	26
Le cheval à bascule	1509	514
Le cheval pâle	774	64
Christmas Pudding		42
(Dans le Masque : Le retour d'Hercule Poirot)		
Cinq heures vingt-cinq	190	168
Cinq petits cochons	346	66
Le club du mardi continue	938	48
Le couteau sur la nuque	197	135
Le crime de l'Orient-Express	169	337
Le crime du golf	118	265
Le crime est notre affaire	1221	228
Destination inconnue	526	58
Dix petits nègres	299	402
Drame en trois actes	366	192
Les écuries d'Augias	913	72
Les enquêtes d'Hercule Poirot	1014	96
La fête du potiron	1151	174
Le flux et le reflux	385	235
L'heure zéro	349	18
L'homme au complet marron	69	124
Les indiscrétions d'Hercule Poirot	475	142
Je ne suis pas coupable	328	22
Jeux de glaces	442	78
La maison biscornue	394	16
La maison du péril	157	152
Le major parlait trop	889	108
Meurtre au champagne	342	20
Le meurtre de Roger Ackroyd	1	415
Meurtre en Mésopotamie	283	28
Le miroir du mort		94
(dans le Masque : Poirot résout trois énigmes)		
Le miroir se brisa	815	3
Miss Marple au club du mardi	937	46

	Masque	Club des masques
Mon petit doigt m'a dit	1115	201
La mort dans les nuages	218	128
La mort n'est pas une fin	511	90
Mort sur le Nil	329	82
Mr Brown	100	68
Mr Parker Pyne	977	117
Mr Quinn en voyage	1051	144
Mrs Mac Ginty est morte	458	24
Le mystère de Listerdale	807	60
La mystérieuse affaire de Styles	106	100
Le mystérieux Mr Quinn	1045	138
N. ou M. ?	353	32
Némésis	1249	253
Le Noël d'Hercule Poirot	334	308
La nuit qui ne finit pas	1094	161
Passager pour Francfort	1321	483
Les pendules	853	50
Pension Vanilos	555	62
La plume empoisonnée	371	34
Poirot joue le jeu	579	184
Poirot quitte la scène	1561	504
Poirot résout trois énigmes	714	
(Dans le Club : Le miroir du mort)		
Pourquoi pas Evans ?	241	9
Les quatre	134	30
Rendez-vous à Bagdad	430	11
Rendez-vous avec la mort	420	52
Le retour d'Hercule Poirot	745	
(Dans le Club : Christmas Pudding)		
Le secret de Chimneys	126	218
Les sept cadrans	44	56
Témoin à charge	1084	210
Témoin indésirable	651	2
Témoin muet	377	54
Le train bleu	122	4
Le train de 16 h 50	628	44
Les travaux d'Hercule	912	70
La troisième fille	1000	112
Un cadavre dans la bibliothèque	337	38
Un deux trois	359	1
Une mémoire d'éléphant	1420	469
Un meurtre est-il facile ?	564	13
Un meurtre sera commis le...	400	86
Une poignée de seigle	500	40
Le vallon	361	374
Les vacances d'Hercule Poirot	351	275

AGATHA CHRISTIE

LES ENQUÊTES D'HERCULE POIROT

LIBRAIRIE DES CHAMPS-ÉLYSÉES

Ce roman a paru sous le titre original :

POIROT INVESTIGATES

L'AVENTURE
DE L'ÉTOILE DE L'OUEST

Placé devant la fenêtre de l'appartement de Poirot, j'observais distraitement la rue en contrebas.

— Étrange... lançai-je brusquement, le souffle court.

— Quoi donc, *mon ami?* demanda placidement Poirot du fond de son confortable fauteuil.

— Jugez vous-même, Poirot : une jeune femme élégamment vêtue — chapeau coquet, fourrure somptueuse — avance lentement en levant les yeux sur les maisons alentour. Sans le savoir, elle est pistée par trois hommes et une autre femme. Un garçon de courses vient juste de se joindre au groupe et montre l'inconnue du doigt avec de grands gestes. Quel drame est en train de se nouer? La jeune personne est-elle une malfaitrice et ses suiveurs des détectives sur le point de l'arrêter... Ou des misérables prêts à attaquer une innocente victime? Qu'en pense le grand détective?

— Le grand détective, *mon ami,* choisit comme toujours le parti le plus simple. Il se lève pour se rendre compte par lui-même.

Et Poirot me rejoignit à la fenêtre.

Un moment plus tard, il laissa échapper un gloussement amusé.

— Comme d'habitude, votre romantisme marque vos observations. Cette personne est miss Mary Marvell, l'actrice de cinéma. Elle est suivie par une troupe d'admirateurs qui l'a reconnue. Et, en passant, mon cher, j'ajouterai qu'elle se rend parfaitement compte de la chose.

J'éclatai de rire.

— Ainsi, tout s'explique. Mais vous ne marquez aucun point, Poirot. Ce n'était que pour vous mettre à l'épreuve.

— En vérité! Et combien de fois avez-vous vu Mary Marvell à l'écran?

Je réfléchis.

— Environ une douzaine de fois.

— Et moi... une seule! Cependant je la reconnais et vous pas.

— Elle semble si différente, hasardai-je assez mollement.

— Ah! Espériez-vous qu'elle se promènerait dans les rues de Londres coiffée d'un chapeau de cowboy, ou pieds nus et les cheveux en désordre, en typique jeune fille irlandaise? Avec vous, c'est toujours l'accessoire : souvenez-vous de l'affaire de la danseuse Valérie Saintclair.

Je haussai les épaules, légèrement vexé.

— Mais consolez-vous, mon ami, continua Poirot en se calmant. Tout le monde ne peut être comme Hercule Poirot! Je le sais bien.

— Je n'ai jamais rencontré quelqu'un qui eût une aussi bonne opinion de soi! m'exclamai-je, à la fois amusé et agacé.

— Que voulez-vous! Lorsque l'on est unique, on le sait! Et d'autres partagent cette opinion... même miss Mary Marvell, si je ne me trompe.

— Quoi?

— Sans aucun doute, elle vient ici.

— Qu'est-ce qui vous le fait penser?

— Très simple. Cette rue n'est pas aristocratique, mon ami. Elle ne compte pas de médecins ou de dentistes en vogue... encore moins de modistes! Mais il y a un détective célèbre! Oui, mon ami, c'est ainsi. Je suis devenu à la mode, le dernier cri! On se chuchote de l'un à l'autre « Comment? Vous avez perdu votre étui à cigarettes en or? Vous devriez aller consulter le petit Belge. Il est merveilleux! Tout le monde y va! Courez! ». Et ils arrivent. En masse, mon ami! Avec les problèmes les plus fous! Le timbre d'une sonnette résonne en bas. Que vous disais-je? C'est miss Marvell.

Comme de coutume, Poirot avait raison. Après un court intervalle, l'actrice américaine fut introduite dans la pièce et nous nous levâmes.

Mary Marvell était une des actrices les plus populaires de l'écran. Elle venait d'arriver en Angleterre, accompagnée de son mari, Gregory B. Rolf, lui aussi acteur de cinéma. Leur mariage avait eu lieu environ une année plus tôt aux États-Unis et c'était là leur première visite en Grande-Bretagne. On leur avait fait une réception grandiose. Tout le monde était prêt à raffoler de Mary Marvell, de ses vêtements merveilleux, de ses fourrures, de ses bijoux, d'un bijou surtout, le gros diamant dont le surnom s'accordait bien avec sa propriétaire : « l'Étoile de l'Ouest ». Beaucoup de vrai et de faux avait été écrit

9

au sujet de cette fameuse pierre dont on disait qu'elle était assurée pour la somme colossale de cinquante mille livres.

Tous ces détails me traversèrent rapidement l'esprit alors que je me joignais à Poirot pour accueillir notre belle cliente.

Miss Marvell était petite, mince, blonde, d'apparence très jeune avec les grands yeux innocents d'une fillette.

Poirot lui avança une chaise et elle déclara tout de suite :

— Vous allez probablement penser que je suis ridicule, monsieur Poirot, mais Lord Cronshaw me racontait hier la façon ingénieuse dont vous avez éclairci le mystère de la mort de son frère et j'ai eu le sentiment qu'il me fallait recourir à votre expérience. J'ose affirmer qu'il ne s'agit, en fait, que d'une mauvaise plaisanterie — c'est ce que pense Gregory — cependant je suis terriblement inquiète.

Elle s'interrompit pour reprendre haleine.

Poirot l'encouragea d'un sourire.

— Poursuivez, madame, pour le moment, je ne sais encore rien.

— Ce sont ces lettres. Miss Marvell ouvrit son sac à main et en sortit trois enveloppes qu'elle tendit au Belge.

Il les examina minutieusement tout en remarquant :

— Papier bon marché... Le nom et l'adresse prudemment tapés à la machine. Voyons l'intérieur.

Il sortit le contenu de la première enveloppe et je m'approchai pour lire par-dessus son épaule. Il n'y avait qu'une seule phrase tapée elle aussi à la machine :

« Le gros diamant qui est l'œil gauche du dieu doit retourner à sa place originelle. »

La seconde lettre était rédigée exactement dans les mêmes termes, mais la troisième s'avérait plus explicite :

« Vous avez été prévenue. Vous n'avez pas obéi. Le diamant va donc vous être enlevé. A la pleine lune, les deux diamants qui sont l'œil gauche et l'œil droit du dieu lui seront restitués. C'est écrit. »

— J'ai traité la première lettre comme une plaisanterie, expliqua miss Marvell. Lorsque j'ai reçu la deuxième, j'ai commencé à être intriguée. La troisième m'est parvenue hier et il m'a alors semblé que l'affaire pourrait être plus sérieuse que je ne l'imaginais tout d'abord.

— Je vois que ces lettres ne sont pas passées par la poste.

— Non, elles ont été apportées... par un Chinois. C'est ce qui m'effraie.

— Pourquoi?

— Parce que c'est à un Chinois que Gregory a acheté la pierre, il y a trois ans, à San Francisco.

— Je vois que vous êtes convaincue, madame, que le diamant en question est...

— ... « l'Étoile de l'Ouest ». C'est exact. Gregory se souvient qu'à l'époque une histoire se rapportait à la pierre, mais le Chinois ne fournit aucune explication. Il paraissait seulement mort de peur et terriblement pressé de se débarrasser de l'objet. Il n'en demandait que le dixième de sa valeur. C'est le cadeau de mariage de mon mari.

Poirot hocha pensivement la tête.

— L'histoire semble d'un romantisme presque incroyable. Et cependant... qui sait? Hastings, passez-moi mon almanach, je vous prie.

Je m'exécutai.

— Voyons, murmura le petit homme en tournant les pages. Quelle est la date de la pleine lune? Ah! vendredi prochain. Dans trois jours. Eh bien, madame, vous souhaitez mon avis? Je vous le donne. Cette belle, belle histoire, peut être une mauvaise plaisanterie, mais il est permis d'en douter. En ce cas, je vous conseille de placer ce diamant sous ma garde jusqu'après vendredi prochain. Nous pourrons prendre, ensuite, les mesures qu'il vous plaira.

Un léger nuage passa sur le visage de l'actrice qui répondit, consternée :

— J'ai peur que cela ne soit pas possible.

— Vous l'avez avec vous, n'est-ce pas? Poirot l'observait avec attention.

La jeune femme hésita, puis glissant la main dans l'ouverture de sa robe, elle tira une longue chaîne fine. Elle se pencha et découvrit dans sa paume une pierre d'une eau admirable, merveilleusement sertie dans une couronne de platine, et qui jetait mille feux.

— Ça alors! murmura-t-il. Vous permettez, madame?

Il prit le bijou et l'examina avidement avant de le rendre à la jeune femme avec une légère inclinaison de tête.

— Une pierre magnifique... Sans le moindre défaut. Ah! Et vous la portez sur vous, comme ça!

12

— Non, non. En fait, je suis très prudente, monsieur Poirot. Habituellement, elle est enfermée dans ma boîte à bijoux et déposée dans le coffre de l'hôtel. Nous sommes descendus au *Magnifique*. Je ne la porte aujourd'hui que parce que je voulais vous la montrer.

— Et vous allez me la laisser, n'est-ce pas? Vous suivrez les conseils de papa Poirot?

— Il faut que je vous explique, monsieur Poirot. Vendredi prochain nous allons à Yardly Chase pour passer quelques jours avec Lord et Lady Yardly.

Ces mots éveillèrent en moi une vague réminiscence... Certains racontars... Quelques années plus tôt, Lord et Lady Yardly s'étaient rendus aux États-Unis et la rumeur affirmait que le vicomte y avait, en quelque sorte, mené la grande vie avec l'aide de quelques amies... Mais il y avait sûrement plus que cela, quelque chose d'encore plus malveillant qui associait le nom de Lady Yardly à celui d'une vedette de l'écran lors de son passage en Californie... Cela me vint à l'esprit comme un éclair. Bien sûr! Il s'agissait tout simplement de Gregory B. Rolf.

— Je vais vous confier un petit secret, monsieur Poirot, continuait miss Marvell. Nous sommes en train d'arranger une affaire avec Lord Yardly. Il y a des chances pour que nous tournions un film sur son domaine.

— A Yardly Chase? m'écriai-je intéressé. Mais c'est un monument d'intérêt touristique!

— J'imagine que c'est en effet un genre de vieillerie authentique. Mais Lord Yardly demande un prix assez élevé et je ne sais pas encore si l'affaire se fera.

Cependant, Greg et moi aimons joindre l'utile à l'agréable.

— Je vous demande pardon si je vous parais stupide, madame. Il est certainement possible de visiter Yardly Chase sans emporter le diamant?

Le regard de miss Marvell se durcit, perdant son apparence enfantine. L'actrice parut soudain beaucoup plus âgée.

— Je veux le porter là-bas.

— Sans aucun doute, dis-je brusquement, la collection Yardly compte des bijoux très célèbres dont un très gros diamant, je crois?

— En effet, répondit-elle brièvement.

J'entendis Poirot grommeler sourdement : « Ah, c'est comme ça! » Puis à voix haute, avec son inexplicable chance habituelle de faire mouche qu'il nommait pompeusement « psychologie », il dit :

— Vous connaissez donc déjà Lady Yardly ou peut-être est-ce votre mari qui la connaît?

— Greg a fait sa connaissance lorsqu'elle se trouvait dans les États-Unis de l'Ouest, il y a trois ans. Elle hésita un moment avant de lancer d'un ton brusque : l'un de vous a-t-il lu le magazine *Les Cancans de la Société?*

Nous fûmes forcés d'avouer honteusement notre ignorance.

— Je vous le demande, parce que cette semaine un article a paru au sujet de bijoux célèbres et il est vraiment très curieux... elle s'interrompit.

J'allai vers la table placée à l'extrémité de la pièce et rapportai la revue en question. Elle me la prit des mains, chercha l'article, le trouva et lut à haute voix :

« Parmi les nombreuses pierres célèbres, on compte « l'Étoile de l'Est » un diamant actuellement en possession de la famille Yardly. Un ancêtre de l'actuel Lord Yardly le rapporta de Chine et une histoire romanesque est réputée s'y attacher. La pierre aurait été l'œil droit du dieu d'un temple sacré. Un autre diamant de forme et de dimensions identiques aurait représenté l'œil gauche de ce même dieu et la date de sa disparition est inconnue. Un œil du dieu ira à l'Ouest, et l'aura ira à l'Est jusqu'à ce qu'ils se rencontrent à nouveau et retournent triomphalement à leurs places. Par une curieuse coïncidence, une pierre connue sous le nom d'« Étoile de l'Ouest » correspond parfaitement à la description de « l'Étoile de l'Est ». Elle est actuellement la propriété de la célèbre actrice de cinéma, miss Mary Marvell. Une comparaison entre les deux joyaux serait intéressante. »

La lectrice s'interrompit.

— Épatant, s'exclama Poirot, sans aucun doute, un roman de premier ordre. Et vous n'avez pas peur, madame? Vous ne redoutez pas de confronter deux sœurs jumelles de crainte qu'un Chinois n'apparaisse et, passez muscade, les remporte à toute allure en Chine?

Sous son ton moqueur, je devinais une gravité voilée.

— Je ne crois pas un instant que le diamant de Lady Yardly vaille le mien, répondit la jeune femme. En tout cas, je vais bientôt pouvoir en juger.

Je ne sais ce qu'aurait pu ajouter Poirot, car à ce moment, la porte s'ouvrit pour livrer passage à un homme superbe. De sa tête brune et bouclée à la

15

pointe de ses bottes vernies, il représentait le parfait héros de roman.

— J'avais promis que je viendrais vous chercher, Mary, lança Gregory Rolf, et me voici. Que dit M. Poirot de notre petit problème? Une mauvaise plaisanterie comme je vous l'affirmais?

Poirot sourit. L'acteur et lui formaient un contraste ridicule.

— Mauvaise plaisanterie ou pas, répliqua-t-il sèchement, j'ai conseillé à madame votre épouse de ne pas emporter le diamant à Yardly Chase.

— Je vous comprends, monsieur. J'ai déjà donné le même conseil à Mary, mais voilà, elle est femme, et j'imagine qu'elle ne peut supporter l'idée qu'une autre femme l'éclipse en bijoux.

— Quelle absurdité, Gregory! répondit vertement Mary Marvell, qui, cependant, rougit de colère.

Poirot haussa les épaules.

— Madame, je vous ai donné mon avis. Je ne puis rien de plus. C'est fini. Il les raccompagna à la porte.

— Ah, là, là! soupira-t-il en revenant. Histoires de femmes! Le bon mari a frappé droit au but... Tout de même, il a manqué de tact!

Je lui confiai mes vagues réminiscences et il hocha vigoureusement la tête.

— Je m'en doutais. Cependant, il y a quelque chose de bizarre dans tout cela. Avec votre permission, mon ami, je vais prendre l'air. Je vous prie d'attendre mon retour, je ne serai pas long.

J'étais à demi assoupi, lorsque la logeuse frappa à la porte et passa la tête par l'entrebâillement pour chuchoter :

— C'est une autre lady qui vient voir M. Poirot. Je lui ai dit qu'il était sorti mais elle préfère attendre, car elle arrive de la campagne.

— Faites-la entrer, Mrs. Murchinson. Peut-être pourrais-je lui être utile?

Lorsque la personne fut introduite, mon cœur fit un bond car je la reconnaissais. La photo de Lady Yardly avait figuré trop souvent dans les journaux mondains pour qu'elle me fût inconnue.

— Prenez place, Lady Yardly, et je lui avançai un siège tout en expliquant : mon ami Poirot est absent, mais il sera bientôt de retour.

Elle me remercia et s'assit. Un type de femme bien différent de Mary Marvell. Grande, brune, avec des yeux pétillants dans un visage pâle et fin, avec toutefois quelque chose de désenchanté dans le dessin de la bouche.

J'éprouvai le désir de me montrer à la hauteur de la situation. Pourquoi pas? En la présence de Poirot, je ressens souvent une sorte de gêne, je ne parais pas à mon avantage. Et cependant, moi aussi, je possède sans aucun doute une certaine puissance de raisonnement.

Poussé par une brusque impulsion, je me penchai vers la visiteuse et remarquai :

— Lady Yardly, je sais pourquoi vous êtes ici. Vous avez reçu des lettres de chantage au sujet du diamant?

Mon attaque fit son effet. Elle me contempla, la bouche ouverte, toute couleur ayant disparu de ses joues.

— Vous savez, souffla-t-elle. Comment?

Je souris.

— Par un procédé parfaitement logique. Si miss Marvell a reçu des lettres de menaces...

— Miss Marvell? Elle est venue ici?

— Aujourd'hui même. Comme je vous le disais, si, en tant que détentrice de l'un des diamants jumeaux, elle a reçu des lettres de menaces mystérieuses, vous, qui possédez l'autre joyau, devez être placée dans la même situation. Vous voyez que c'est très simple. Je ne me trompe pas, n'est-ce pas? Vous aussi avez bien reçu des lettres comminatoires?

Elle m'étudia un moment, semblant hésiter à m'accorder sa confiance, puis elle hocha la tête avec un petit sourire.

— En effet.

— Vos lettres furent-elles livrées par un Chinois... comme celles de miss Marvell?

— Non, elles arrivèrent par le courrier. Mais dites-moi, miss Marvell a donc subi la même épreuve?

Je lui contai les nouvelles de la matinée qu'elle écouta avec attention. Finalement, elle hocha la tête.

— Tout concorde. Nos lettres sont identiques. Il est vrai que les miennes sont arrivées par le courrier, mais en les ouvrant, j'ai cru reconnaître un parfum imprégnant le papier, quelque chose comme... de l'encens. Cela m'a poussée tout de suite à penser à l'Orient. Qu'est-ce que cela signifie, à votre avis?

— C'est ce que nous devrons découvrir. Vous avez les lettres avec vous? Nous pourrons peut-être apprendre quelque chose par le tampon de la poste.

— Malheureusement, je les ai détruites. Vous comprenez, sur le moment, je les ai tenues pour une plaisanterie stupide. Est-il possible que quelque gang chinois essaie de récupérer ces deux diamants? Cela me paraît tellement inconcevable!

Nous revînmes sur les faits maintes et maintes fois sans pour cela avancer vers la solution. Enfin Lady Yardly se leva.

— Je ne pense pas qu'il me soit nécessaire d'attendre M. Poirot plus longtemps. Vous saurez lui expliquer les raisons de ma visite, n'est-ce pas? Merci mille fois, Mr...?

— Capitaine Hastings.

— Oh, mais bien sûr! Que je suis sotte! Vous êtes un ami des Cavendish, n'est-il pas vrai? C'est Mary Cavendish qui m'envoie à M. Poirot.

Lorsque mon ami revint, je pris plaisir à lui raconter les derniers événements. Il m'interrompit par de sèches questions quant à la façon dont notre conversation s'était déroulée et je devinais qu'il n'était pas trop content d'avoir manqué notre dernière cliente. Pour ma part, je me plaisais à imaginer que le cher Poirot se montrait un peu jaloux. C'était presque devenu une habitude chez lui que d'amoindrir considérablement mes capacités et je crois qu'il se trouvait dépité de ne trouver aucun motif pour me critiquer. J'étais intérieurement assez satisfait de moi, bien qu'essayant de n'en rien montrer de peur de l'irriter. Malgré son égocentrisme, j'étais profondément attaché à mon déconcertant ami.

— Bien, déclara-t-il d'un ton brusque, une étrange expression sur le visage. L'intrigue suit son cours. Passez-moi, je vous prie, le nobiliaire qui se trouve sur cette étagère supérieure. Il en tourna les

pages. Ah, voici! Yardly... 10ᵉ vicomte, servit en
Afrique du Sud. Tout ça n'a pas d'importance...
Épousa en 1907, l'Hon. Maud Stopperton, quatrième fille du troisième baron Cotteril... etc., etc.,
descendance : deux filles nées en 1908 et 1910...
Clubs... Résidences... Voilà. Cela ne nous apprend
pas grand-chose, mais demain matin nous verrons
ce lord.

— Comment?

— Je lui ai envoyé un télégramme.

— Je croyais que vous vous étiez lavé les mains
de l'affaire?

— Je n'agis pas pour miss Marvell puisqu'elle a
refusé de se laisser guider par mes conseils. Ce que
je vais faire à présent sera pour ma propre satisfaction... La satisfaction d'Hercule Poirot! Décidément,
je veux jouer mon rôle dans cette histoire.

— Et vous envoyez un télégramme à Lord Yardly
afin qu'il se précipite à Londres, simplement pour
complaire à votre ambition personnelle! Il ne sera
pas enchanté.

— Au contraire. Si je préserve son diamant de
famille, il ne pourra que m'être reconnaissant.

— Ainsi vous pensez qu'il y a vraiment une
chance qu'il soit volé?

— Presque certainement. Tout semble le prouver.

— Mais comment?

Poirot arrêta ma question d'un geste vague de la
main.

— Pas maintenant, je vous prie. Ne brouillons
pas notre esprit. Et regardez ce nobiliaire... Comment l'avez-vous rangé! Ne voyez-vous pas que les
livres sont disposés par rang de taille? De cette

manière nous avons de l'ordre, de la méthode, dont, comme je vous l'ai souvent fait remarquer, Hastings...

— Exactement, coupais-je vivement, remettant le volume à sa place habituelle.

Lord Yardly offrait l'apparence d'un sportif joyeux au teint plutôt rouge, qui s'exprimait d'une voix forte, mais dégageait une bonhomie optimiste paliant son manque d'esprit.

— Une histoire extraordinaire, monsieur Poirot à laquelle je ne comprends rien. Il semblerait que ma femme ait reçu d'étranges missives ainsi que miss Marvell. Qu'est-ce que tout cela veut dire?

Poirot lui tendit la brochure « Cancans de la Société ».

— Tout d'abord, milord, je vous demanderai de confirmer si cet article est exact?

Le visage du pair s'assombrit alors qu'il parcourait l'article des yeux.

— Absurdités, bredouilla-t-il, il n'y a jamais eu d'histoire romanesque attachée à ce diamant. Je crois savoir qu'à l'origine il est venu de l'Inde, mais je n'ai jamais eu connaissance de ce conte de dieu chinois!

— Cependant, la pierre est connue sous le nom d'« Étoile de l'Est ».

— Et alors?

Poirot ne répondit pas directement.

— Je vous ai prié de venir pour vous demander de me laisser carte blanche, milord. Si vous acceptez sans réserve, j'ai grand espoir d'éviter la catastrophe.

— Vous pensez donc que ces extravagances cachent vraiment quelque chose?

— Me ferez-vous confiance?

— Bien sûr, mais...

— Permettez-moi alors de vous poser quelques questions. Cette affaire au sujet de Yardly Chase est-elle conclue entre vous et Mr. Rolf?

— Oh! Il vous en a donc parlé? Non, rien n'est encore décidé. Il parut gêné, alors que son teint brique prenait une nuance plus accusée. Autant vous mettre au courant. J'ai commis pas mal de bêtises, monsieur Poirot... et je suis couvert de dettes... Mais je veux me ressaisir. J'aime mes enfants et je désire arranger mes affaires afin de continuer à vivre dans ma vieille propriété. Gregory Rolf m'offre beaucoup d'argent... assez pour me permettre de me rétablir. Cependant, j'hésite encore à accepter. Je déteste l'idée de cette foule jouant la comédie autour de « Chase ». Il est possible que je sois forcé d'y consentir, à moins... Il s'interrompit.

Poirot leva vivement les yeux.

— Vous avez une autre corde à votre arc, milord? Permettez-moi d'avancer une conjecture. S'agirait-il de la vente de l' « Étoile de l'Est »?

— En effet. Elle est dans ma famille depuis des générations, mais n'entre cependant pas dans l'héritage. Cela dit, trouver un acheteur n'est pas des plus facile. Hoffberg, le type de « Hatton Garden », est à la recherche d'un client sérieux.

— Encore une question, permettez... Ce plan a l'approbation de Lady Yardly?

— Elle s'oppose à ce que je vende le bijou. Vous

22

connaissez les femmes! Elle préfère opter pour ce film tapageur.

— Je comprends. Poirot réfléchit un moment, puis se leva. Vous retournez directement à Yardly Chase? Bien! Pas un mot à quiconque... *à quiconque,* vous comprenez? Mais attendez-nous ce soir. Nous arriverons peu après cinq heures.

— D'accord, mais je ne vois pas...

— Cela n'a pas d'importance, répondit Poirot d'un ton léger. Vous désirez que je vous conserve votre diamant, n'est-ce pas?

— Oui, mais...

— Alors, agissez comme je vous le dis.

Triste et dérouté, le noble gentleman quitta la pièce.

Il était cinq heures trente lorsque nous arrivâmes à Yardly Chase et suivîmes le maître d'hôtel plein de dignité qui nous guida à travers le hall aux lambris anciens que réchauffait un bon feu de bois. Un touchant tableau s'offrit à nos yeux : la tête brune et fière de Lady Yardly penchée sur ses deux fillettes blondes et, debout près d'elles Lord Yardly qui les contemplait en souriant.

— M. Poirot et le capitaine Hastings, annonça le maître d'hôtel.

Lady Yardly leva la tête en sursautant alors que son mari s'avançait, indécis, quêtant du regard les instructions de Poirot.

Le petit homme fut à la hauteur de la situation.

— Toutes mes excuses, j'enquête encore sur cette histoire se rapportant à miss Marvell. Elle vient chez vous vendredi, je crois? Me permettez-vous une petite visite préliminaire pour m'assurer que tout est en ordre? Je voudrais aussi demander à Lady Yardly si elle se souvient des tampons que portaient les lettres qu'elle a reçues?

Lady Yardly, un peu confuse, répondit :

— J'ai bien peur que non. C'est une étourderie de ma part, mais vous comprenez, je ne les prenais pas au sérieux.

— Vous restez pour la nuit? s'enquit Lord Yardly.

— Oh! Milord, j'ai peur de vous incommoder. Nous avons laissé nos sacs à l'auberge.

— Aucune importance (Lord Yardly jouait son rôle). Nous les enverrons chercher... Aucun dérangement, je vous assure.

Poirot se laissa persuader, et prenant place près de Lady Yardly, il s'employa à se faire des amis des enfants. Au bout de peu de temps, ils jouaient tous ensemble et m'avaient décidé à me joindre à eux.

— Madame, vous êtes une tendre mère remarqua Poirot en s'inclinant galamment, alors que les enfants étaient entraînés à contrecœur par une gouvernante sévère.

Lady Yardly arrangea sa coiffure en désordre et répondit d'une voix essoufflée :

— Je les adore.

— Les enfants vous le rendent... avec raison! Poirot s'inclina à nouveau.

Un gong résonna et nous nous levâmes pour gagner nos chambres. A ce moment, le maître d'hôtel entra, un télégramme posé sur un plateau d'argent qu'il tendit au Vicomte. Ce dernier l'ouvrit après un bref mot d'excuse.

Son visage se contracta et, avec une exclamation

d'étonnement, tendit le pli à sa femme. Puis il se tourna vivement vers mon ami qui allait sortir :

— Un moment, monsieur Poirot! Je crois que vous devez être mis au courant. C'est d'Hoffberg. Il pense avoir trouvé un acheteur pour le diamant : un Américain qui retourne demain aux États-Unis. Ils envoient un type ce soir pour examiner la pierre. Par Jupiter! Si, cependant, cette affaire...

Les mots lui manquèrent.

Lady Yardly s'était détournée. Elle tenait encore le télégramme en main.

— Je préférerais que vous ne le vendiez pas, Georges, dit-elle d'une voix grave. Il est dans la famille depuis si longtemps. Elle sembla attendre une réponse qui ne vint pas. Elle haussa les épaules et ajouta : il faut que j'aille me changer. Je suppose qu'il va me falloir étaler la « marchandise », elle se tourna vers Poirot avec une petite grimace : c'est l'un des plus odieux colliers qui fut dessiné! Georges m'a toujours promis de faire ressertir les pierres, mais elles attendent encore.

Elle se retira.

Une demi-heure plus tard, nous étions réunis tous trois dans la grande salle à manger attendant la maîtresse de maison. L'heure du dîner était passée de deux minutes.

Un léger frou-frou nous avertit de l'arrivée de Lady Yardly qui s'encadra dans la porte, silhouette lumineuse drapée dans une longue robe blanche soyeuse. Autour de son cou étincelait une rivière de diamants.

La jeune femme resta immobile, une main posée sur le joyau.

— Contemplez l'objet du sacrifice, lança-t-elle gaiement. Sa mauvaise humeur semblait avoir disparu. Attendez que je donne l'éclairage central et vous pourrez vous régaler du spectacle du plus laid collier d'Angleterre!

Les interrupteurs se trouvaient dans le hall près de la porte. Alors qu'elle tendait la main pour les atteindre, l'incroyable se produisit. Les lumières s'éteignirent brusquement, la porte claqua et, de l'extérieur, s'éleva le cri prolongé d'une femme.

— Mon Dieu! souffla Lord Yardly, c'est la voix de Maud. Qu'est-il arrivé?

Nous nous élançâmes à l'aveuglette, nous heurtant dans l'obscurité. Il nous fallut plusieurs minutes pour atteindre la porte. Quel spectacle nous attendait! Lady Yardly gisait sur le sol de marbre, inconsciente, une marque violacée autour du cou, d'où le collier avait été arraché.

Alors que nous nous penchions sur la jeune femme ne sachant pas sur le moment si elle était morte ou seulement évanouie, ses paupières s'ouvrirent et elle murmura :

— Le Chinois... le Chinois... la porte de côté.

Lord Yardly se précipita vers l'issue en jurant et je m'élançai à sa suite, le cœur battant. Encore le Chinois!

La porte latérale en question s'ouvrait dans un angle du mur, environ à dix mètres de l'endroit où s'était déroulée la tragédie. En l'atteignant, je poussai un cri. Près du seuil se trouvait le collier, apparemment abandonné par le voleur pris de panique. Tout heureux, je me penchai pour le ramasser, mais je poussai un autre cri auquel Lord Yardly fit écho.

Le centre du collier était vide, l'« Étoile de l'Est » avait disparu.

— Voilà qui est net, m'exclamai-je sourdement, il ne s'agit pas de voleurs ordinaires. Cette pierre était la seule qui les intéressait.

— Mais comment le type s'est-il introduit ici?

— Par cette porte.

— Impossible, elle est toujours fermée à clef.

— Pas à présent, voyez!

Je poussai le battant et mon geste fit tomber quelque chose de léger sur le sol. C'était un morceau de soie dont le dessin ne permettait aucun doute. Il avait été arraché à un vêtement oriental.

— Dans sa hâte, un pan de sa robe est resté coincé. Venez vite. Il n'a sûrement pas eu le temps d'aller bien loin.

Nous explorâmes en vain les environs. Avantagé par l'obscurité, le voleur avait effectué une retraite facile. Nous rentrâmes à contrecœur et Lord Yardly dépêcha un domestique pour aller quérir la police.

Lady Yardly, calmée par Poirot qui possédait comme une femme le don de réconforter, était suffisamment remise pour nous expliquer ce qui s'était passé.

— J'allais tourner l'interrupteur lorsqu'un homme me saisit par-derrière. Il m'arracha le collier avec une telle force que je tombai au sol. Dans ma chute, je le vis disparaître par la porte latérale et compris d'après sa natte et sa robe brodée qu'il s'agissait d'un Chinois. Elle s'interrompit en frisonnant.

Le maître d'hôtel reparut. Il annonça d'une voix lugubre :

— Un gentleman de la part de Mr. Hoffberg, milord, il dit que vous attendez sa visite.

— Grand Dieu! s'écria le lord affolé. Il va falloir que je lui explique... Pas ici, Mullings, conduisez-le dans la bibliothèque.

J'entraînai Poirot à part.

— Écoutez, mon vieux, ne croyez-vous pas que nous ferions mieux de retourner à Londres?

— Vraiment, Hastings? Pourquoi?

— C'est que... Je toussai discrètement. Les choses ne se sont pas très bien déroulées, je crois? Vous conseillez à Lord Yardly de s'en remettre à vous, que tout ira bien... et le diamant disparaît juste sous votre nez!

— Exact, concéda-t-il assez penaud, cela ne semble pas avoir été un de mes triomphes les plus éclatants!

Cette façon de définir la situation me fit presque sourire, mais je gardai mon opinion pour moi.

— Ainsi, ayant, pardonnez-moi l'expression, causé un gros gâchis, ne croyez-vous pas qu'il serait plus élégant de partir immédiatement?

— Et le dîner? Il sera sans doute excellent, préparé par le chef de Lord Yardly!

— Oh! Qu'est-ce qu'un dîner! répliquai-je agacé.

Poirot leva les yeux au ciel.

— Mon Dieu, dans votre pays, vous traitez la gastronomie avec une indifférence vraiment criminelle.

— Il y a une autre raison pour laquelle nous devrions rentrer à Londres le plus rapidement possible.

— Laquelle, mon ami?

— L'autre diamant, celui de miss Marvell.

— Eh bien?

— Ne devinez-vous pas? Sa stupidité insolite m'irritait au plus haut point; qu'était devenu son esprit habituellement si prompt? Maintenant qu'ils en possèdent un, ils vont chercher à escamoter le second.

— Tiens, s'écria Poirot en reculant d'un pas et me contemplant avec admiration, mais votre cerveau marche à merveille, mon ami! Imaginez que, sur le moment, je n'avais pas pensé à cela. Cependant, nous avons grandement le temps, car la pleine lune ne se montrera pas avant vendredi.

Je hochai dubitativement la tête. L'idée de la pleine lune ne m'impressionnait pas. J'avais cependant réussi à convaincre Poirot et nous partîmes immédiatement, laissant un mot d'explications et d'excuse pour Lord Yardly.

Mon intention était que nous nous rendions directement au *Magnifique* pour relater à miss Marvell les derniers événements de Yardly Chase, mais Poirot opposa son veto en affirmant que demain matin serait bien assez tôt. Je m'inclinai en rechignant.

Au matin, Poirot se montra peu disposé à sortir. Je commençai à soupçonner qu'après l'échec qu'il venait d'essuyer, il lui répugnait de poursuivre l'affaire. En réponse à mes raisonnements pressants, il remarqua, avec une logique sans faille, qu'étant donné que les détails de l'affaire de Yardly Chase étaient dans les journaux, les Rolf devaient en savoir aussi long que nous. J'abandonnai à contre-cœur.

Les faits qui suivirent, prouvèrent que mes pressentiments étaient justifiés. Vers deux heures, le téléphone sonna et Poirot répondit. Il écouta un moment, puis après un bref : « Bien j'y serai », il raccrocha et se tourna vers moi.

— Qu'en pensez-vous, mon ami? Il affichait un air en même temps piteux et excité. Le diamant de miss Marvell a été volé.

— Quoi? Et la pleine lune, alors? Poirot baissa la tête. Quand cela s'est-il produit?

— Ce matin, paraît-il.

— Si seulement vous m'aviez écouté! Vous voyez? J'avais raison.

— Apparemment, mon ami, répliqua Poirot, les apparences sont trompeuses, dit-on, mais dans ce cas, elles sont à votre avantage.

Alors que nous roulions rapidement vers le *Magnifique,* j'exposai à Poirot la véritable construction du plan, mis en œuvre par les voleurs.

— Cette idée de pleine lune s'est affirmée ingénieuse. Le principal objectif consistait à attirer notre attention sur vendredi, afin que nous ne soyons pas sur nos gardes avant. Il est dommage que vous ne l'ayez pas deviné.

— Ma foi! répondit Poirot d'un air vague, sa nonchalance revenue après une brève éclipse. On ne peut penser à tout.

J'éprouvai une grande pitié pour lui. Je déteste le voir échouer.

— Courage, dis-je pour le consoler, vous aurez plus de chance la prochaine fois.

Au *Magnifique,* nous fûmes immédiatement introduits dans le bureau du gérant. Gregory Rolf s'y trouvait avec deux hommes de Scotland Yard et un employé qui leur faisait face.

Rolf salua notre entrée d'un signe de tête.

— Nous arrivons au fond du problème, dit-il mais c'est presque incroyable. Comment le gars a-t-il pu montrer un pareil sang-froid, je n'arrive pas à comprendre.

Quelques minutes suffirent à nous mettre au courant. Mr. Rolf était sorti de l'hôtel à 11 h 15. A 11 h 30, un homme lui ressemblant étrangement, se présenta à la réception et demanda le coffre à bijoux dans le coffre de l'hôtel. Il signa dûment le reçu tout en remarquant d'un air détaché : « C'est un peu différent de ma signature habituelle, mais je me suis meurtri la main en sortant du taxi. » L'employé sourit poliment en affirmant qu'il y voyait très peu de différence. L'homme rit et répliqua : « En tout cas, ne me prenez pas pour un malfaiteur. J'ai reçu des lettres de menaces d'un Chinois et le pire est que je ressemble moi-même assez à un Chinois. Quelque chose dans la forme des yeux. »

— Je l'ai dévisagé, expliqua l'employé qui nous racontait l'histoire, et j'ai tout de suite compris ce qu'il voulait dire. Ses yeux s'allongeaient vers les tempes comme ceux d'un oriental. Je ne l'avais pas remarqué auparavant.

— Bon sang, rugit Gregory Rolf se penchant vers l'homme, le remarquez-vous à présent?

L'employé le regarda et sursauta :

— Oh! Non, monsieur!

Et, en fait, il n'y avait rien qui fût, même vaguement, oriental dans le regard direct qui se posait sur nous.

L'homme de Scotland Yard grommela :

— Un malin! Il a pensé que ses yeux l'impliqueraient et il a pris le taureau par les cornes pour désarmer tout soupçon. Il a dû surveiller votre sortie, monsieur et s'assurer que vous étiez bien parti pour se présenter à la réception de l'hôtel.

— Et le coffre à bijoux? demandai-je.

— Il a été trouvé dans un couloir de l'hôtel. Un seul manquait : l'« Étoile de l'Ouest »!

Nous nous regardâmes, perplexes. Toute l'affaire était tellement bizarre, insolite...

Poirot se leva.

— Je n'ai pas été d'une grande utilité, je le crains, remarqua-t-il avec regret. Me serait-il permis de rencontrer miss Marvell?

— Elle est encore bouleversée, protesta Rolf.

— Alors, je puis peut-être vous entretenir en privé, Mr. Rolf?

— Certainement.

Environ cinq minutes plus tard, Poirot reparut.

— A présent, mon ami, lança-t-il gaiement, rendons-nous dans une poste, il faut que j'envoie un télégramme.

— A qui?

— A Lord Yardly.

Il découragea toute question supplémentaire en passant son bras sous le mien et en concluant :

— Mon ami, je sais exactement ce que vous ressentez au sujet de cette curieuse affaire. Je ne m'y suis pas distingué! Vous, à ma place, auriez peut-être réussi. Bien! Tout est admis, oublions cela et allons déjeuner.

Il était environ quatre heures lorsque nous revînmes chez Poirot. A notre entrée, une silhouette se découpant devant la fenêtre, se leva. C'était Lord Yardly. Il paraissait décomposé et affligé.

— J'ai reçu votre télégramme et suis venu directement. Savez-vous que je suis passé chez Hoffberg et qu'il ne sait rien du type qui est venu chez moi hier soir, pas plus que du télégramme. Croyez-vous que...

Poirot leva la main.

— Mes excuses! J'ai envoyé ce télégramme et le gentleman moi-même.

— Vous... Mais pourquoi?

— Ma petite idée était de pousser à agir une certaine personne.

— Une certaine personne?

— Et ma ruse a réussi. Grâce à elle, j'ai grand plaisir à vous retourner... ceci, milord!

Avec un geste dramatique, il produisit un objet étincelant.

— « L'Étoile de l'Est »! s'exclama Lord Yardly, d'une voix entrecoupée, mais je ne comprends plus...

— Aucune importance. Croyez-moi, il était nécessaire que le diamant fût volé. Je vous ai promis qu'il serait sauvé et j'ai tenu parole. Vous me permettrez de garder mon petit secret. Transmettez, je vous prie, l'assurance de mon profond respect à Lady Yardly et dites-lui à quel point je suis heureux de pouvoir lui restituer son joyau. Quel beau temps, ne trouvez-vous pas? Bonne journée, milord.

Souriant et babillant, l'extraordinaire petit homme escorta le visiteur jusqu'à la porte.

Il revint en se frottant doucement les mains.

— Poirot, dis-je, suis-je complètement idiot?

33

— Non, non, mon ami, mais vous êtes, comme toujours, plongé dans un brouillard mental.

— Comment avez-vous récupéré le diamant?

— De Rolf.

— Rolf?

— Mais oui! Les lettres de menace, le Chinois, l'article dans *Les Cancans de la Société,* tout cela est né de l'esprit ingénieux de Mr. Rolf! Les deux diamants supposés être si miraculeusement identiques. Fadaises! Ils n'existaient pas. Il n'y avait qu'un seul diamant, mon ami! A l'origine, dans la collection Yardly, il fut pendant trois ans la possession de Rolf. Il l'a volé ce matin en se maquillant les yeux. Ah! Il faut que je le voie dans un de ses films, il est vraiment artiste, celui-là!

— Mais pourquoi irait-il voler son propre diamant? demandai-je, ne comprenant toujours rien.

— Pour diverses raisons. Premièrement, Lady Yardly commençait à devenir rétive.

— Lady Yardly?

— Vous devez comprendre qu'en Californie, elle se trouvait assez seule. Son mari s'amusait ailleurs. Mr. Rolf était beau et auréolé d'une touche romantique. Mais, au fond, il est très homme d'affaires, ce Monsieur! Il joua le chevalier servant auprès d'elle et ensuite la fit chanter. J'ai forcé Lady Yardly à admettre la vérité l'autre soir. Elle jura qu'elle n'avait été qu'imprudence et je la crois. Mais sans aucun doute, Rolf détenait des lettres d'elle, dont le sens aurait pu facilement être interprété différemment. Atterrée par la menace d'un divorce et la perspective d'être séparée de ses enfants, elle accepta les conditions qu'on lui imposait. Ne possédant pas de fortune personnelle, elle fut forcée de lui permettre de substituer au vrai diamant, un faux. La coïncidence de la date à laquelle l'« Étoile de l'Ouest » apparut, m'intrigua dès l'abord. Ensuite, Lord Yardly se prépara à se ranger, s'assagir, d'où la menace de la vente du diamant. La substitution allait être découverte. Sans aucun doute. Lady Yardly écrivit à Rolf qui arrivait juste en Angleterre, pour lui expliquer la situation. Il la rassure en promettant de tout arranger et met alors sur pied, le plan d'un double vol. De cette manière, il calmait la jeune femme qui, un jour ou l'autre, aurait pu tout raconter à son mari, éventualité embarrassante pour notre maître chanteur. De plus, il empochera les cinquante mille livres d'assurance (vous oubliez cela!) et le diamant restera en sa possession. A ce moment, j'entre en scène. L'arrivée d'un expert en diamants est annoncée, Lady Yardly, comme je m'en doutais, organise immédiatement le vol du faux diamant et s'en tire très bien. Mais Hercule Poirot ne voit que les faits. Que se passe-t-il en réalité? La dame tourne l'interrupteur plongeant la pièce dans l'obscurité, fait claquer la porte, jette le collier loin d'elle et crie. Dans sa chambre, quelques minutes plus tôt, elle a déjà enlevé le diamant central à l'aide d'une pince...

— Mais nous avons vu le collier autour de son cou!

— Je vous demande pardon, mon ami, sa main dissimulait l'endroit où le vide eût été visible. Placer un morceau de soie dans une porte est un jeu d'enfant! Naturellement, dès que Rolf apprit le vol

par les journaux, il arrangea sa petite comédie...
qu'il joua à la perfection.

— Que lui avez-vous dit lorsque vous l'avez vu
en particulier?

— Que Lady Yardly avait tout raconté à son
mari, que je possédais les pleins pouvoirs pour
récupérer le diamant, et que s'il ne m'était pas remis
immédiatement, un procès serait intenté. En plus de
tout cela, quelques petits mensonges supplémentaires qui me vinrent à l'esprit. Il était comme de la
cire entre mes mains.

Je réfléchis à la question.

— N'est-ce pas injuste pour miss Marvell? Elle a
perdu son diamant sans le mériter.

— Bah! répondit Poirot sèchement, cela lui fait
une magnifique publicité. C'est tout ce qui l'intéresse, celle-là! L'autre, par contre, est très différente.
Bonne mère, très femme!

— Oui, conclus-je mollement, ne partageant pas
l'opinion de Poirot sur la féminité. Je suppose que
c'est Rolf qui lui envoya les lettres de chantage?

— Pas du tout. Lady Yardly vint me trouver sur
le conseil de Mary Cavendish, pour faire appel à
mon aide et résoudre son problème. C'est alors
qu'elle apprit la visite de Mary Marvell, qu'elle
savait être son ennemie et elle changea d'avis, sau-
tant sur le prétexte, que vous, mon ami, lui avez
suggéré. Quelques questions suffisent à me démon-
trer que c'est vous qui lui avez parlé des lettres, pas
elle! Elle saisit la chance que vous lui offriez!

— Je n'en crois rien! m'écriai-je, piqué au vif.

— Dommage que vous n'étudiez pas la psychologie! Cette dame vous dit que les lettres sont

détruites! Oh, là, là, jamais, une femme ne détruit une lettre si elle peut l'éviter. Pas même s'il est plus prudent de s'en débarrasser!

— Tout ça est bel et bien, m'emportai-je, ma colère croissant, mais vous m'avez rendu complètement ridicule du début à la fin! C'est bien beau d'expliquer, après, mais il y a des limites!

— Vous y preniez tant de plaisir, mon ami, je n'avais pas le courage de briser vos illusions.

— Vous êtes allé un peu trop loin, cette fois!

— Mon Dieu, vous vous énervez pour un rien, Hastings!

— J'en ai marre!

Je sortis en claquant la porte. Poirot avait fait de moi un objet de risée. Je décidai qu'il avait besoin d'une bonne leçon. Je ne lui pardonnerais pas de sitôt!

LA TRAGÉDIE
DE MARDSON MANOR

J'avais été appelé hors de la capitale durant quelques jours et, à mon retour, je trouvai Poirot occupé à boucler sa petite valise.

— A la bonne heure, Hastings, je craignais que vous ne soyez pas revenu à temps pour m'accompagner.

— On vous a donc appelé à l'aide quelque part?

— Oui, bien que je doive admettre, d'après les apparences, que l'affaire ne semble pas passionnante. La Compagnie d'assurances, l'Union de l'Ouest, m'a demandé d'enquêter sur la mort d'un certain Maltravers qui avait contracté chez eux, quelques semaines plus tôt, une assurance sur la vie pour la belle somme de cinquante mille livres!

— Vraiment? m'exclamai-je intéressé.

— Il y avait, bien sûr, la clause habituelle soulignant l'éventualité d'un suicide. Dans le cas où le client se serait tué volontairement au cours de la première année, l'assurance aurait été annulée. Mr. Maltravers a été dûment examiné par le médecin de la compagnie et, bien qu'il soit un homme ayant légèrement dépassé le bel âge, il fut reconnu comme jouissant d'une santé robuste. Quoi qu'il en soit, mercredi dernier, c'est-à-dire avant-hier, le corps de Maltravers a été trouvé sur le terrain de sa propriété en Essex, Mardson Manor, et la cause de sa mort serait une sorte d'hémorragie interne. Ce fait par lui-même n'aurait rien de singulier, mais de sinistres rumeurs se rapportant aux difficultés financières de Maltravers traînaient dans l'air depuis peu et l'Union de l'Ouest a découvert, sans doute possible, que le gentleman en question était à deux doigts de la faillite. Cela change considérablement les choses. De plus, il avait une femme jeune et belle. On soupçonne qu'il aurait pu ramasser tout l'argent liquide dont il dispo-sait pour payer l'assurance-vie dont son épouse béné-ficierait et qu'ensuite, il se serait suicidé! Une telle histoire n'a rien d'exceptionnel. En tout cas, mon ami, Alfred Wright, qui est un des directeurs de l'Union de l'Ouest, m'a demandé de découvrir la vérité sur cette affaire, mais, comme je vous l'ai dit, je n'ai pas grand espoir de réussir. Si sa mort avait été causée par un arrêt du cœur, je serais plus optimiste. C'est là un verdict qui peut toujours passer pour un aveu d'inca-pacité du médecin local, ignorant la véritable cause du décès de son malade. Mais, quand il y a hémorragie, aucune erreur n'est possible. Cependant, tout ce que nous pouvons faire est de chercher des renseignements utiles. Cinq minutes pour boucler votre bagage, Hastings, et nous prendrons un taxi pour gagner la gare.

Environ une heure plus tard, nous descendions d'un train à la petite station de Mardson Leigh. Nous apprîmes d'un employé que Mardson Manor se trou-vait à un mile de distance. Poirot décida de s'y rendre à pied et nous cheminâmes le long de la rue principale.

— Quel est votre plan de campagne à présent ?

— Tout d'abord, passer chez le médecin. J'ai appris qu'il n'y en avait qu'un à Mardson Leigh : le Dr Ralph Bernard. Ah ! voici justement sa maison. Un cottage de belle apparence, situé en retrait de la rue. Une plaque de cuivre portait le nom du médecin.

Nous suivîmes l'allée et sonnâmes à la porte. Nous avions de la chance, car, bien que ce fût l'heure des consultations, pour le moment, aucun malade n'attendait.

Le Dr Bernard était un homme d'un certain âge, aux larges épaules voûtées et aux manières plaisantes.

Poirot se présenta et expliqua la raison de notre visite, ajoutant que les compagnies d'assurances étaient obligées d'entreprendre, dans un cas semblable, une enquête approfondie.

— Bien sûr, bien sûr, répondit le médecin d'un air vague. J'imagine, qu'étant un homme riche, Maltravers avait pris une grosse assurance ?

— Vous le considériez comme un homme riche, docteur ?

Le praticien parut surpris.

— Ne l'était-il pas ? Il possédait deux voitures, vous savez, et Mardson Manor est une assez importante propriété et sûrement coûteuse à entretenir, bien qu'il l'ait obtenue, je présume, à très bas prix.

— Je crois savoir qu'il a subi dernièrement de considérables pertes d'argent, répliqua Poirot en l'observant attentivement.

Le médecin se contenta de hocher tristement la tête.

— Vraiment ? Tiens ! C'est donc une chance pour sa femme qu'il y ait cette assurance. Une jeune personne très belle et charmante, mais terriblement ébranlée par cette déplorable catastrophe. Un paquet de nerfs, la pauvre enfant... J'ai essayé de la calmer le plus possible mais naturellement, il fallait s'attendre à ce que le choc soit très rude.

— Vous aviez soigné Mr. Maltravers, récemment?

— Mon cher monsieur, je ne l'ai jamais soigné.

— Comment?

— Je crois savoir que Mr. Maltravers était un scientiste chrétien... ou quelque chose de semblable.

— Mais vous avez examiné le corps?

— Certainement, un aide-jardinier est venu me chercher.

— Et la cause de sa mort n'offrait aucun doute?

— Aucun. Il y avait du sang sur les lèvres, mais la plus grande partie de l'hémorragie a dû être interne.

— L'avez-vous trouvé à l'endroit même où il était tombé?

— Oui, le corps n'avait pas été touché. Il fut découvert à l'orée d'une petite plantation. Mr. Maltravers, apparemment, tirait des corbeaux, car une carabine de chasse, modèle réduit, se trouvait près de lui. L'hémorragie a dû survenir brusquement, sans doute un ulcère à l'estomac.

— Pas question qu'il ait été tué, bien sûr?

— Cher monsieur!

— Je vous demande pardon, s'excusa Poirot, mais si ma mémoire ne me fait pas défaut, au sujet d'un meurtre récent, le médecin rendit tout d'abord le verdict : arrêt du cœur... Il dut le modifier lorsque la police remarqua qu'une balle avait traversé la tête de la victime.

— Vous ne trouverez aucune trace de balle sur le

corps de Mr. Maltravers, coupa le médecin sèchement. A présent, gentlemen, s'il n'y a rien de plus...

Nous nous le tînmes pour dit.

— Bonne journée et merci beaucoup, docteur, pour avoir répondu si aimablement à nos questions. Au fait, vous n'avez pas jugé utile de réclamer une autopsie?

— Certainement pas! Le visage du médecin devint brusquement apoplectique. La cause de la mort ne laissait place à nulle incertitude et, dans ma profession, nous ne jugeons pas nécessaire de tourmenter sans raison les parents d'un défunt.

Là-dessus, nous tournant les talons, il nous ferma la porte au nez.

— Que pensez-vous du Dr Bernard, Hastings? demanda Poirot alors que nous reprenions notre chemin vers Mardson Manor.

— Un vieil imbécile.

— Exactement. Votre jugement des caractères est toujours très profond, mon ami.

Je l'observai à la dérobée, mal à l'aise, mais il paraissait parfaitement sérieux. une lueur fugitive brilla cependant dans son regard alors qu'il ajoutait d'un ton malicieux : sauf quand il s'agit d'une belle jeune femme!

Cette fois je le regardai avec froideur.

A notre arrivée au manoir, la porte nous fut ouverte par une domestique âgée. Poirot lui tendit sa carte et une lettre de la compagnie d'assurances pour Mrs. Maltravers. Elle nous conduisit à un petit salon et se retira pour informer sa maîtresse. Une dizaine de minutes passèrent, puis la porte s'ouvrit et une mince silhouette vêtue de noir, s'encadra sur le seuil.

— Monsieur Poirot? s'enquit-elle d'une voix brisée.

— Madame! Poirot se leva et s'avança vivement
vers elle. Je ne puis dire à quel point je regrette de vous
déranger en un pareil moment. Mais que voulez-vous?
Les affaires... elles, ne connaissent aucune pitié.

Mrs. Maltravers lui permit de la conduire à un
siège. Ses yeux étaient rouges d'avoir trop pleuré, mais
ses traits, momentanément bouffis, ne pouvaient alté-
rer son extraordinaire beauté. Elle avait vingt-sept ou
vingt-huit ans, très blonde, avec de grands yeux bleus
et de jolies lèvres boudeuses.

— C'est au sujet de l'assurance contractée par mon
mari, n'est-ce pas? Mais dois-je être ennuyée, maintenant... si tôt?

— Courage, chère madame, courage! Vous voyez,
votre défunt mari a pris une assurance sur la vie qui
doit vous rapporter une assez grosse somme et, dans
un tel cas, la compagnie est contrainte de vérifier
certains détails. Elle m'a donné le pouvoir d'agir en
son nom. Vous pouvez être sûr que je ferai de mon
mieux pour vous rendre l'enquête le moins désa-
gréable possible. Pouvez-vous me raconter brièvement
les tristes événements de mercredi dernier?

— Je me changeais pour le thé, lorsque ma bonne
est venue... L'un des jardiniers arrivait juste en courant à la maison. Il avait trouvé...

La voix lui manqua. Poirot lui pressa la main avec
sympathie.

— Je comprends. Arrêtons là... Aviez-vous vu
votre mari, plus tôt, dans l'après-midi?

— Pas depuis le déjeuner. Je m'étais rendue au

village pour acheter des timbres. Je savais qu'il bricolait dans le parc.

— Tirant les corbeaux?

— Oui, il avait l'habitude d'emporter sa petite carabine de chasse et j'ai entendu un ou deux coups de feu dans le lointain.

— Où se trouve cette arme, à présent?

— Dans le hall, je pense.

Elle nous précéda hors de la pièce, attrapa la carabine et la tendit à Poirot qui l'examina avec curiosité.

— Je vois qu'il y a deux balles en moins, remarquat-il en rendant l'objet. Et maintenant, madame, si je puis voir...

Il s'interrompit avec délicatesse.

— La servante vous conduira, murmura-t-elle en détournant les yeux.

La bonne, appelée, conduisit Poirot à l'étage. Je restai avec la ravissante et malheureuse veuve. Il était difficile de savoir s'il valait mieux parler ou garder le silence. Je hasardai une ou deux remarques d'ordre général auxquelles elle répondit d'un air absent et Poirot nous rejoignit.

— Je vous remercie pour toutes vos bontés, madame. Je ne pense pas qu'on ait besoin de vous tourmenter plus avant. Au fait, êtes-vous au courant de la situation financière de votre époux?

Elle hocha la tête.

— Absolument pas. Je ne connais rien à ces questions.

— Alors, vous ne pouvez nous donner aucun éclaircissement sur le motif qui a pu le pousser à souscrire brusquement une assurance sur la vie?

— Nous n'avons été mariés qu'un peu plus d'une

année. Mais je puis vous renseigner sur sa soudaine décision. Mon mari était absolument persuadé qu'il ne vivrait pas longtemps. Il pressentait sa mort prochaine. J'imagine qu'il avait déjà eu une hémorragie par le passé et qu'il savait qu'une seconde lui serait fatale... J'ai essayé de dissiper ces sombres appréhensions, mais en vain. Hélas, il ne se trompait pas.

Les yeux remplis de larmes, elle nous salua avec dignité.

Alors que nous nous éloignions le long du sentier, Poirot fit un geste qui lui était particulier.

— Eh bien, voila! Nous retournons à Londres, mon ami. Il semble n'y avoir aucune souris dans le nid et cependant...

— Cependant, quoi?

— Une légère contradiction, sans plus. L'avez-vous remarquée? Non. Mais la vie est pleine de contradictions. Il est certain que Maltravers ne peut s'être suicidé... Aucun poison ne provoque une pareille hémorragie ni ne met un tel flot de sang dans la bouche. Non, non, je dois me résigner, Hastings, à accepter l'événement tel qu'il est, franc et loyal... Mais qui arrive là-bas?

Un grand jeune homme venait vers nous à longues enjambées. Il nous dépassa sans nous saluer. Au passage, je remarquai qu'il n'était pas laid du tout avec son fin visage très bronzé témoignant d'un long séjour sous un climat tropical.

Un jardinier occupé à balayer des feuillages, s'étant interrompu un moment dans sa tâche, Poirot alla rapidement à lui.

— Dites-moi, je vous prie, qui est ce gentleman? Le connaissez-vous?

— Je ne me souviens pas de son nom, monsieur, bien que je l'aie entendu prononcer. Il a passé la nuit ici, mardi dernier.

Nous nous hâtâmes sur la trace de la silhouette qui s'éloignait le long du sentier. L'apparition d'une forme vêtue de noir sur la terrasse à l'angle de la maison, notre gibier isolé et nous sur ses talons, nous permirent d'être témoins de la rencontre.

A la vue du jeune homme, Mrs. Maltravers pâlit, chancelant presque.

— Vous! souffla-t-elle. Je vous croyais en mer... En route pour l'Afrique Orientale?

— Une lettre inattendue de mes hommes de loi m'a retenu à la dernière minute. Mon vieil oncle d'Écosse est mort brusquement, me laissant de l'argent. En l'occurrence, il valait mieux que j'annule mon départ. Ensuite, j'ai appris par les journaux la mauvaise nouvelle, et je viens voir si je puis vous être utile. Vous aurez peut-être besoin de quelqu'un pour vous seconder pendant quelque temps?

A ce moment, ils devinrent conscients de notre présence. Poirot s'avança et, avec beaucoup d'excuses, il expliqua qu'il avait oublié sa canne dans le vestibule. Je crus deviner que Mrs. Maltravers procéda aux présentations nécessaires avec assez de mauvaise grâce.

— Monsieur Poirot, capitaine Black.

Quelques minutes de conversation suivirent, au cours desquelles Poirot découvrit que le capitaine était descendu à l'auberge « Anchor ».

La canne égarée n'ayant pas été retrouvée, et pour cause, Poirot présenta de nouvelles excuses et nous nous retirâmes.

46

Nous rejoignîmes le village à vive allure et Poirot gagna directement l'auberge « Anchor. »

— Nous nous y établissons jusqu'au retour de notre ami le capitaine, expliqua-t-il. Vous avez remarqué combien j'ai insisté sur le fait que nous retournions à Londres par le premier train? Vous pensiez que j'en avais vraiment l'intention? Mais non! Avez-vous observé le visage de Mrs. Maltravers lorsqu'elle aperçut le jeune Black? Elle était visiblement surprise et lui... eh bien! il se montra très dévoué. N'est-ce pas votre avis? Et il était ici mardi soir... La veille du jour où Maltravers est mort. Nous devons vérifier les faits et gestes du capitaine, Hastings.

Environ une demi-heure plus tard, nous aperçûmes notre suspect qui approchait de l'auberge. Poirot sortit et l'accosta. Bientôt, les deux hommes pénétraient dans la chambre que nous avions retenue.

Après avoir expliqué au capitaine Black la mission qui l'avait amené dans cette maison, il lui dit :

— Vous comprenez à présent qu'il me faut connaître l'état d'esprit dans lequel Mr. Maltravers se trouvait juste avant sa mort. Comme je veux éviter de tourmenter sa jeune veuve, en lui posant des questions pénibles, j'ai recours à vous. Voyons, vous étiez là peu de temps avant le malheur. Pouvez-vous nous donner des détails qui nous seraient précieux?

— Je ferai tout mon possible pour vous aider, mais j'ai bien peur de n'avoir rien remarqué d'anormal dans le comportement de Maltravers. Car, bien qu'il ait été un vieil ami de ma famille, je ne le connaissais pas intimement.

— Vous êtes arrivé... quand?

— Mardi dans l'après-midi pour repartir mercredi

de bonne heure car mon bateau levait l'ancre de Tilbury vers midi. Mais les nouvelles qui me parvinrent juste avant mon départ, me forcèrent à changer mes plans, comme je soupçonne que vous me l'avez entendu dire à Mrs. Maltravers.

— Vous retourniez en Afrique Orientale, n'est-ce pas?

— Oui, j'y vis depuis la fin de la guerre. Un merveilleux pays.

— Certainement. A propos, de quoi a-t-on parlé au dîner?

— Oh! Je ne sais plus! Les vieux sujets habituels. Maltravers m'a demandé des nouvelles de mes parents, puis nous avons discuté le problème des réparations allemandes. Ensuite, Mrs. Maltravers m'a posé un tas de questions sur l'Afrique Orientale et je leur ai raconté une ou deux histoires. C'est à peu près tout, je crois.

— Merci.

Poirot resta un moment silencieux puis il déclara doucement :

— Avec votre permission, j'aimerais tenter une petite expérience. Vous nous avez rapporté tout ce que votre être conscient se rappelait, mais je voudrais, à présent, questionner votre subconscient.

— De la psychanalyse? s'écria Black, visiblement alarmé.

— Oh! Non, rassurez-vous! Je vais vous expliquer. Je vous donne un mot, vous répondez par un autre et ainsi de suite. Vous prononcez n'importe quel mot, le premier qui vous vient à l'esprit. D'accord?

— D'accord, répondit le jeune homme apparemment mal à l'aise.

— Prenez les mots en note, je vous prie, Hastings.

Poirot sortit de sa poche sa grosse montre bombée qu'il déposa sur la table devant lui.

— Nous commençons : jour.

Après une légère hésitation, Jack lança :

— Nuit.

Au fur et à mesure que Poirot poursuivait l'expérience, les réponses me parurent plus spontanées.

— Nom.
— Lieu.
— Bernard.
— Shaw.
— Mardi.
— Dîner.
— Voyage.
— Bateau.
— Pays.
— Ouganda.
— Histoire.
— Lions.
— Petite carabine de chasse.
— Ferme.
— Coup de feu.
— Suicide.
— Éléphant.
— Défense.
— Argent.
— Notaire.

— Merci, capitaine Black. Peut-être pourriez-vous me consacrer quelques minutes d'ici une demi-heure?

— Certainement.

Le jeune officier le regarda avec curiosité puis s'essuya le front en se levant.

— Et maintenant, Hastings, s'enquit Poirot en souriant alors que la porte se refermait sur le visiteur, vous comprenez tout, n'est-ce pas?

— Absolument rien.

— Cette liste de mots, pourtant...

Je scrutai intensément la liste, mais force me fut de hocher négativement la tête.

— Je vais vous aider. Pour commencer, Black a bien répondu aux questions dans la limite de temps normale, sans hésiter, de sorte que nous pouvons conclure qu'il n'avait rien à cacher : « jour » pour « nuit » et « lieu » pour « nom » sont des associations communes. J'ai commencé à le sonder avec Bernard qui aurait pu suggérer le médecin local s'il était venu à le rencontrer. De toute évidence, il ne l'a pas vu. Il répondit « dîner » pour « mardi », mais à « voyage » et « pays » il répondit par « bateau » et « Ouganda » montrant ainsi clairement que c'est son voyage à l'étranger qui avait de l'importance pour lui et non celui qui l'amena ici. « Histoire » le fit se souvenir d'une anecdote où il est question de « lions », racontée sans doute au cours du repas de mardi soir. J'ai lancé « petite carabine de chasse » et sa réponse « ferme » s'avéra tout à fait inattendue. Lorsque j'ai dit « coup de feu », il répliqua immédiatement « suicide ». L'association paraît claire. Un homme qu'il connaissait s'est suicidé avec une petite carabine de chasse, dans une ferme quelque part. N'oubliez pas que son esprit est encore axé sur les histoires qu'il a racontées mardi soir et je pense que vous découvrirez aisément que je ne suis pas loin de la vérité, si je rappelle le jeune Black et lui demande de répéter pour nous l'histoire d'un suicide qu'il a rapportée mardi soir aux Maltravers.

Interrogé par Poirot, Black ne marqua aucune hésitation.

— Oui, à présent que j'y pense, je leur ai bien raconté cette pénible affaire. Un type s'est suicidé dans une ferme du pays d'où je viens. Il usa d'une petite carabine de chasse. La balle lui traversa le palais et le cerveau. Les médecins n'y comprenaient rien... Ils ne trouvèrent aucune marque, sinon un mince filet de sang sur les lèvres. Mais quel...

— Quel rapport cette histoire a-t-elle avec Mr. Maltravers? Je vois que vous ignorez qu'on a découvert une arme identique à ses côtés.

— Vous voulez dire qu'inconsciemment je lui ai suggéré... Mais c'est affreux!

— Ne vous désespérez pas... Cela serait arrivé d'une manière ou d'une autre. Eh bien! Il faut que je téléphone à Londres.

Poirot eut une longue conversation téléphonique et revint, pensif. Il sortit seul dans l'après-midi et ce ne fut pas avant sept heures qu'il annonça qu'il ne pouvait attendre plus longtemps pour apprendre la nouvelle à la jeune veuve. Être laissée ainsi sans ressources et découvrir en même temps que son mari s'était suicidé pour assurer son avenir, s'avérait un lourd fardeau à supporter, pour n'importe quelle femme. Je nourrissais cependant le secret espoir que le jeune Black se montrerait capable de la consoler, lorsque le temps aurait atténué sa première douleur. De toute évidence, il l'admirait énormément.

Notre entretien avec la jeune veuve fut pénible. Elle refusa avec véhémence de croire aux faits que Poirot avançait, puis lorsqu'elle fut finalement convaincue, elle s'effondra, versant des larmes amères. Un examen du corps confirma nos soupçons. Poirot était désolé pour la jolie veuve, mais, après tout, il représentait la compagnie d'assurances et ne pouvait rien faire d'autre.

Alors que nous nous apprêtions à sortir, il se tourna vers Mrs. Maltravers et remarqua gentiment :

— Madame, vous, mieux que personne, devriez savoir que la mort n'existe pas.

Elle se troubla et ouvrit de grands yeux.

— Que voulez-vous dire?

— N'avez-vous jamais pris part à des séances de spiritisme? Vous êtes médium, vous le savez?

— On me l'a dit. Mais sûrement vous ne croyez pas au spiritisme?

— Madame, j'ai vu tant de choses étranges. Vous savez que dans le village on prétend que cette maison est hantée?

Elle inclina la tête et, à ce moment, la bonne vint annoncer que le dîner était servi.

— Ne resterez-vous pas pour me tenir compagnie?

Nous acceptâmes avec gratitude et je sentis que notre présence pourrait au moins la distraire un peu de sa douleur.

Nous finissions juste notre potage lorsqu'un cri s'éleva de l'autre côté de la porte, suivi d'un bruit de vaisselle brisée. Nous sursautâmes.

La bonne apparut, pressant ses mains sur son cœur.

— Un homme... debout, dans le passage!

Poirot bondit hors de la pièce et revint rapidement.

— Il n'y a personne!

— En êtes-vous sûr, monsieur? demanda faiblement la domestique. Oh! Ça m'a donné un coup!

— Mais pourquoi?

Elle baissa le ton pour chuchoter :

— J'ai cru... J'ai cru que c'était le maître... Il lui ressemblait.

Je vis Mrs. Maltravers frissonner de terreur et mon esprit vola vers la vieille superstition affirmant qu'un suicidé ne peut rester en paix. Notre hôtesse y pensa sûrement aussi, car une minute plus tard elle agrippa le bras de Poirot en poussant un cri.

— N'avez-vous pas entendu? Ces trois coups sur la vitre? C'est la façon dont il frappait toujours lorsqu'il faisait le tour de la maison.

— Le lierre, m'écriais-je. C'était le lierre qui heurtait le carreau!

Mais une sorte de terreur nous avait tous gagnés. La bonne était visiblement affolée et, lorsque le repas fut terminé, Mrs. Maltravers supplia Poirot de rester encore un peu. Elle redoutait évidemment de se retrouver seule. Nous nous installâmes dans le petit salon. Le vent se levait et mugissait autour de la maison d'une manière quasi irréelle. Deux fois la porte de la pièce s'entrouvrit doucement et chaque fois, la jeune femme se serra contre moi avec un halètement de terreur.

— Ah! Mais cette porte est ensorcelée! cria finalement Poirot furieux. Il se leva, la poussa, tournant la clef dans la serrure.

— Je la ferme à clef, là!

— N'en faites rien, souffla Mrs. Maltravers. Si elle devait se rouvrir à présent...

Et, à l'instant même où elle prononçait ces mots, l'impossible se produisit. La porte verrouillée s'entrebâilla lentement.

De ma place, je ne pouvais apercevoir l'ouverture, mais Poirot et notre hôtesse lui faisaient face. Elle poussa un long cri et se tourna vers son voisin.

— Vous l'avez vu... Là! Dans le passage?

Mon ami la regarda avec un visage interrogateur, puis hocha négativement la tête. Elle insista :

— Je l'ai vu! Mon mari... Vous devez l'avoir vu aussi?

— Madame, je n'ai rien remarqué. Vous n'êtes pas bien... Vos nerfs...

— Je suis parfaitement bien. Je... Oh, mon Dieu!

Les lumières vacillèrent brusquement, puis s'éteignirent. Dans le noir, trois coups distincts résonnèrent. J'entendais Mrs. Maltravers gémir.

Puis... Je vis!

L'homme que j'avais contemplé, étendu sur son lit à l'étage au-dessus, se tenait debout, éclairé par une faible lueur fantomatique. Il y avait du sang sur ses lèvres et il tenait sa main droite pointée en avant. Soudain, une lumière radiante sembla se dégager de lui, passer au-dessus de la tête de Poirot et de la mienne pour s'arrêter sur la jeune femme dont le visage reflétait l'horreur. Je remarquai autre chose qui me fit crier :

— Grand-Dieu! Poirot! Regardez sa main! Sa main droite! Elle est toute rouge!

Mrs. Maltravers fixa sa main et après un haut-le-corps glissa sur le sol.

— Du sang, hurla-t-elle, hystérique. Oui, c'est du sang! Je l'ai tué! C'est moi! Il me montrait... et j'ai mis la main sur la gâchette et j'ai pressé. Sauvez-moi de lui... Sauvez-moi! Il est revenu!

Sa voix mourut dans un râle.

— Lumières, lança Poirot.

Comme par magie l'électricité jaillit.

— Voilà, continua-t-il. Vous avez entendu, Hastings, et vous aussi Everett? Ah! au fait, je vous présente Mr. Everett, un personnage assez connu dans les milieux du théâtre. Je lui avais téléphoné cet après-midi. Ne trouvez-vous pas son maquillage parfait? Il ressemble assez au mort. Avec une torche et les produits phosphorescents nécessaires, il a su créer l'impression voulue... Et maintenant, il ne faut pas que nous rations notre train. L'inspecteur Japp est dehors, près de la fenêtre. Une mauvaise nuit... Mais il a pu tromper son ennui en frappant sur le carreau pour se distraire!

— Vous voyez, continua Poirot alors que nous avancions à grands pas à travers le vent et la pluie, il y avait bien une légère contradiction. Le médecin semblait penser que le mort était un scientiste chrétien mais qui aurait pu lui donner cette impression, sinon Mrs. Maltravers? Cependant, à nous, elle décrivit son mari comme vivant dans l'appréhension à cause de sa santé. Autre remarque : pourquoi fut-elle si troublée par l'apparition inattendue du jeune Black? Et finalement, bien que les conventions exigent qu'une femme porte le deuil de son mari et le pleure, je ne prise pas beaucoup ces paupières si rouges! Vous ne les avez pas remarquées, Hastings? Non? Comme je vous le dis toujours, vous ne voyez jamais rien!

Je ne protestai pas et Poirot continua :

— Il existait deux possibilités : l'histoire racontée par Black avait-elle suggéré une ingénieuse méthode de suicide à Mr. Maltravers, ou bien, sa femme, ayant écouté le récit, y vit-elle un moyen commode de commettre un meurtre? J'optai pour la deuxième hypothèse, car pour se tirer dans la bouche de la manière indiquée, Maltravers aurait été obligé de presser la gâchette avec ses doigts de pied... C'est du moins ce que j'imagine. Si donc Maltravers avait été trouvé étendu avec une botte en moins, nous en aurions certainement entendu parler. Un détail, si étrange, n'eût pas manqué d'être remarqué.

En fait, j'inclinais à croire que nous nous trouvions en présence d'un meurtre, mais je ne possédais pas l'ombre d'une preuve pour appuyer ma théorie. De là, la petite comédie que vous m'avez vu jouer ce soir.

J'avouai :

— Même à présent, je ne réalise pas très bien ce crime et son exécution!

— Commençons par le commencement. Nous avons une jeune femme clairvoyante et calculatrice qui, connaissant la débâcle financière de son mari et lasse d'un compagnon vieillissant qu'elle n'avait épousé que pour son argent, pousse ce dernier à contracter une importante assurance sur la vie en sa faveur. Ceci fait, elle cherche le moyen d'accomplir son dessein. La chance le lui offre! L'étrange aventure racontée par le jeune officier! L'après-midi suivant, lorsque Monsieur le Capitaine est en haute mer, comme elle le pense, elle et son mari flânent sur les pelouses et j'imagine leur dialogue : « Quelle bizarre histoire Black nous a racontée, hier soir au souper, observe-t-elle. Un homme peut-il vraiment se suicider de cette façon? Montrez-moi si c'est possible? ». Le pauvre fou lui montre, il place l'extrémité du fusil dans sa bouche. Elle se baisse et pose la main sur la gâchette, riant en levant les yeux sur lui : « Et maintenant, monsieur, conclut-elle friponne, supposons que je presse la gâchette ? ». Et alors... Et alors, Hastings... Elle la presse !

L'AVENTURE
DE L'APPARTEMENT BON MARCHÉ

Dans les affaires que j'ai relatées jusqu'ici, les enquêtes de Poirot commençaient par le fait essentiel, qu'il s'agisse de meurtre ou de cambriolage, et s'enchaînaient selon un procédé de déductions logiques, jusqu'au dénouement triomphant. Au cours des événements dont je me propose de présenter la chronique, une remarquable série de circonstances insignifiantes en apparence, mais qui attirèrent tout de suite l'attention de Poirot, nous conduisit aux révélations sinistres qui élucidèrent une des affaires les plus insolites.

J'avais passé la soirée avec un de mes vieux amis, Gérald Parker. En plus de mon hôte et de moi-même, cinq ou six personnes étaient présentes. La conversation tomba, comme cela arrivait tôt ou tard en n'importe quel endroit où se trouvait Parker, sur la recherche d'un domicile à Londres. Depuis la fin de la guerre mon ami avait occupé au moins une demi-douzaine d'appartements et maisonnettes différents. Pas plus tôt se trouvait-il installé quelque part, qu'il convoitait brusquement une nouvelle décou-

58

verte et rebouclait sans délai sacs et bagages. Ses déménagements s'accompagnaient presque toujours d'un léger profit réalisé sur la place qu'il abandonnait, car il était homme d'affaires et très habile. Cependant la vérité oblige à dire que c'est l'amour de ce sport qui l'animait bien plus que le désir de gagner quelque chose. Nous écoutâmes Parker un bon moment, avec le respect que nourrit le novice à l'égard de l'expert, puis ce fut à notre tour de parler et un brouhaha de conversations s'ensuivit. Finalement, la parole fut laissée à Mrs. Robinson, une charmante jeune femme accompagnée de son mari. Je ne les avais jamais rencontrés auparavant car Robinson était une récente connaissance de Parker.

— A propos d'appartement, lança-t-elle, avez-vous entendu parler de notre coup de chance, Parker ? Nous en avons trouvé un... enfin ! A Montagu Mansions.

— Ma foi, j'ai toujours affirmé qu'il y a beaucoup de logements disponibles... Du moment qu'on est prêt à payer !

— Oui, mais celui-ci n'est pas cher ! Il est incroyablement bon marché. Quatre-vingts livres par an !

— Mais... Montagu Mansions est juste à la limite de Knightsbridge, je crois. Un grand bâtiment luxueux, il me semble ? A moins que vous ne fassiez allusion à quelque parent pauvre caché dans un quartier populeux ?

— Pas du tout ! Il s'agit bien du Montagu Mansions de Knightsbridge. C'est ce qui rend notre chance si merveilleuse !

— Merveilleuse est le mot ! Un sacré miracle, si

vous voulez mon avis! Mais il doit y avoir un piège quelque part! Un pas-de-porte colossal...

— Pas de pas-de-porte!

— Pas de pas-de-porte... Oh! Vite, mes amis, pincez-moi! gémit Parker.

— Cependant, il faut que nous achetions les meubles, concéda la jeune femme.

— Ah! Je savais bien qu'il y avait une attrape!

— Pour cinquante livres... Et ils sont magnifiques!

— J'abandonne! Les occupants actuels doivent être des lunatiques avec un goût marqué pour la philanthropie!

Mrs. Robinson se troubla. Une petite ride se creusa entre ses fins sourcils.

— C'est étrange, n'est-ce pas? Vous ne pensez pas que... que l'endroit est hanté?

— Jamais entendu parler d'un appartement hanté, coupa Parker d'un ton ferme.

— N...on... La jeune femme semblait cependant loin d'être convaincue. Mais il y a quand même quelques détails qui m'ont intriguée parce que... bizarres!

— Par exemple? suggérai-je.

— Ah! s'écria Parker, l'attention de notre expert criminel est éveillée! Épanchez-vous auprès de lui, Mrs. Robinson. Il est un grand démêleur d'intrigues.

Je ris, embarrassé, mais pas tellement mécontent du rôle qu'on m'attribuait.

— Oh! Pas vraiment bizarres, capitaine Hastings, corrigea Mrs. Robinson, mais lorsque nous nous présentâmes à l'agence immobilière « Stosser et Paul » (nous ne nous étions pas adressés à eux auparavant car ils ne s'occupent que des appartements très coûteux de Mayfair, mais nous avions pensé qu'une démarche chez eux ne vous engagerait pas) tout ce qu'ils nous offrirent s'élevait à quatre ou cinq cents livres par an, ou comprenait de lourds pas-de-porte. Et puis, juste comme nous allions sortir, ils mentionnèrent un appartement de quatre-vingts livres, doutant cependant qu'il vaille la peine que nous allions le visiter, car ils l'avaient dans leurs dossiers depuis pas mal de temps déjà, et tant de clients étaient allés le voir qu'il était sûrement pris, « happé » est le mot exact dont usa l'employé, seulement on avait dû omettre de les en informer et ils continuaient à envoyer des clients qui se montraient sans doute fort mécontents de leur inutile dérangement.

Mrs. Robinson s'interrompit pour reprendre haleine et enchaîna :

— Nous les remerciâmes en répondant que nous aimerions recevoir quand même une autorisation de visite. Nous nous y rendîmes en taxi immédiatement, car on ne sait jamais... Le numéro 4 se situait au second étage, et, alors que nous attendions l'ascenseur, Elsie Fergusson, une de mes amies qui cherche un logement, déboucha de l'escalier et s'exclama : « Je vous devance pour une fois. Mais il est inutile de monter, il est déjà pris. » Cela semblait terminer notre entreprise, mais, comme le remarqua John, le loyer étant très bon marché, nous pouvions nous permettre d'offrir plus et peut-être même de proposer un pas-de-porte. J'ai honte de vous avouer cela, capitaine Hastings, mais vous savez ce que c'est que de chercher un domicile.

Je la rassurai en remarquant que, dans la lutte

pour le logement, on devait souvent faire taire ses scrupules et que la loi bien connue : les loups se mangent entre eux, s'appliquait toujours en ce domaine.

— Donc, nous montâmes, et le croiriez-vous : l'appartement n'était pas pris du tout. La bonne nous le fit visiter, nous vîmes la maîtresse de maison et tout fut arrangé sur-le-champ : entrée en possession immédiate, après paiement des meubles. L'accord fut signé le jour même et nous nous installons demain! La jeune femme s'arrêta, triomphante.

— Et Mrs. Fergusson? demanda Parker, quelles sont vos déductions à son sujet, Hastings?

— Sans aucun doute, mon cher Watson, répliquai-je d'un ton léger, elle venait d'un autre appartement situé dans le même immeuble!

— Oh! Capitaine Hastings, que vous êtes ingénieux! s'exclama Mrs. Robinson avec admiration.

J'aurais bien voulu que Poirot fût présent. Parfois, j'ai l'impression qu'il sous-estime mes capacités.

Cette histoire était assez amusante et, le lendemain matin, je la soumis à Poirot comme un problème burlesque. Il parut intéressé et me posa un tas de questions sur le prix des appartements dans différents quartiers.

— Une histoire curieuse, murmura-t-il pensivement. Excusez-moi, Hastings, il faut que je fasse un petit tour.

Lorsqu'il revint environ une heure plus tard, ses yeux brillaient d'une excitation particulière. Avant de parler, il posa sa canne sur la table et lissa le feutre de son chapeau avec son soin habituel.

— C'est rudement bien, mon ami, que nous n'ayons pas d'affaire sur les bras pour le moment. Nous allons pouvoir nous consacrer entièrement à notre enquête.

— Quelle enquête?

— L'appartement remarquablement bon marché de votre amie, Mrs. Robinson.

— Poirot, vous n'êtes pas sérieux?

— Des plus sérieux. Figurez-vous que le véritable loyer de ces logements est de trois cent cinquante livres. Je viens juste de me le faire certifier par l'agent du propriétaire. Et cependant, cet appartement en question est sous-loué pour le prix modique de quatre-vingts livres! Pourquoi?

— Il doit y avoir quelque chose qui cloche. Peut-être est-il hanté, comme le suggérait Mrs. Robinson?

Poirot hocha énergiquement la tête en fronçant les sourcils.

— Et puis, n'est-il pas curieux encore que son amie lui apprenne que l'appartement est loué et que, lorsqu'elle s'y rend elle-même pour le voir, il n'en soit rien!

— Mais voyons, vous devez sûrement penser comme moi que l'amie s'était adressée à un autre appartement? C'est la seule solution possible.

— Que votre raisonnement sur ce point soit juste ou faux, Hastings, il n'en est pas moins vrai que de nombreux autres candidats ont visité l'appartement en question et qu'en dépit de son loyer étonnamment bas, il se trouvait encore sur le marché lorsque Mrs. Robinson s'y présenta.

— Cela prouve simplement que Mrs. Robinson doit s'attendre à une mauvaise surprise.

— Mrs. Robinson ne semble pas avoir remarqué quoi que ce soit d'anormal. Très curieux, n'est-ce pas? Cette Mrs. Robinson vous a-t-elle donné l'impression d'être une femme sincère, Hastings?

— Une créature délicieuse!

— Évidemment, puisqu'elle vous a rendu incapable de répondre à ma question. Décrivez-la-moi donc?

— Eh bien! Elle est grande et belle; ses cheveux ont un ravissant reflet auburn...

— Vous avez toujours eu un penchant pour cette couleur de cheveux, murmura Poirot. Mais continuez?

— Yeux bleus, un très joli teint et... c'est tout, je crois, concluai-je assez mal à l'aise.

— Et son mari?

— Oh! Un type assez gentil, mais rien d'extraordinaire.

— Brun ou blond?

— Je ne sais pas... Entre les deux, je pense et un visage tout à fait banal.

Poirot hocha la tête.

— Oui, il existe des milliers de ces Anglais moyens... Et, de toute façon, vous témoignez plus de sympathie et de goût dans vos descriptions féminines. Que savez-vous de ce couple? Parker les connaît-il bien?

— Ce sont des relations récentes, je crois. Mais sûrement, Poirot, vous n'imaginez pas une minute...

Poirot leva la main.

— Tout doucement, mon ami. Ai-je dit que j'imaginais quoi que ce soit? Mon seul avis est... que c'est une curieuse histoire. Et il n'y a rien qui l'éclaircisse, sauf peut-être, le nom de cette personne, eh, Hastings?

— Son nom est Stella, répondis-je avec raideur, mais je ne vois pas...

Poirot m'interrompit par un formidable gloussement. Quelque chose semblait l'amuser énormément.

— Et Stella signifie étoile. Fameux!

— Que diable!

— Et les étoiles donnent la lumière! Voilà! Calmez-vous, Hastings, ne prenez pas cet air de dignité offensée! Venez, nous allons nous rendre à Montagu Mansions et y recueillir quelques renseignements.

Les Mansions comprenaient un ensemble de beaux bâtiments en parfait état. Un portier en uniforme prenait le soleil sur le seuil de l'entrée principale et c'est à lui que Poirot s'adressa :

— Pardonnez-moi, pourriez-vous me dire si un certain Mr. Robinson réside ici?

L'homme n'était pas bavard et paraissait de tempérament acariâtre, voire soupçonneux. Il nous regarda à peine et grogna :

— Numéro 4. Deuxième étage.

— Je vous remercie. Depuis combien de temps habite-t-il ici?

— Six mois.

J'eus un haut-le-corps d'étonnement et j'attrapai au vol la grimace malicieuse de Poirot.

— Impossible! m'écriai-je, vous devez faire erreur!

— Six mois.

— Êtes-vous sûr? Mrs. Robinson est grande, avec des cheveux roux foncé et...

— C'est elle, coupa le portier, son mari et elle sont arrivés en octobre dernier. Ça fait juste six mois.

Après cet effort il parut se désintéresser de nous et battit lentement en retraite dans le hall. Je suivis Poirot qui s'éloignait.

— Eh bien, Hastings, me demanda mon ami d'un ton railleur, êtes-vous encore certain que les jolies femmes disent toujours la vérité?

Je ne répondis pas.

Poirot était parvenu dans Brompton Road avant que je ne lui demande ce qu'il allait entreprendre et où nous nous rendions.

— Chez les agents de location, Hastings. J'ai grande envie de louer un appartement à Montagu Mansions. Si je ne me trompe, des choses intéressantes s'y passeront avant longtemps.

Nous eûmes de la chance dans notre démarche. Le numéro 8 au quatrième étage était à louer pour dix guinées par semaine. Poirot le prit immédiatement pour un mois. Lorsque nous nous retrouvâmes dehors, il arrêta mes protestations.

— Mais je gagne de l'argent actuellement! Pourquoi ne m'offrirais-je pas un caprice? A propos, Hastings, avez-vous un revolver?

— Oui, quelque part, répondis-je, légèrement troublé, pensez-vous que...

— Que vous en aurez besoin. C'est bien possible. L'idée vous plaît, je vois. Le spectaculaire et le romanesque vous séduisent toujours.

Le jour suivant, nous étions installés dans notre « home » provisoire. L'appartement s'agrémentait de meubles plaisants. Il occupait la même situation que celui des Robinson, deux étages plus haut.

Le lendemain était un dimanche. Dans l'après-midi, Poirot laissa la porte du palier entrouverte et m'appela rapidement alors qu'une porte claquait quelque part, plus bas.

— Jetez un coup d'œil par-dessus la rampe. S'agit-il de vos amis? Ne les laissez pas vous voir.

J'avançai prudemment la tête.

— Ce sont eux, chuchotai-je.

— Bon, attendez un moment.

Environ une demi-heure plus tard, une jeune personne apparut portant une toilette aux couleurs vives. Avec un soupir de satisfaction, Poirot repénétra dans notre appartement sur la pointe des pieds.

— C'est ça. Après les maîtres, la bonne. L'appartement devrait être vide à présent.

— Qu'allons-nous faire? demandai-je, mal à l'aise.

Poirot s'était rendu dans l'arrière-cuisine à petits pas pressés et tirait la corde du monte-charge.

— Nous sommes sur le point de descendre à la manière des poubelles, expliqua-t-il allégrement. Personne ne nous remarquera. Le concert du dimanche, la promenade du dimanche après-midi et finalement la sieste du dimanche qui suit le repas anglais, le rosbif... Tout cela distraira l'attention des gens susceptibles de s'intéresser à Hercule Poirot. Venez, mon ami.

Il se glissa sur l'engin de bois grossier et je le suivis avec précaution.

— Allons-nous nous introduire chez eux par effraction? questionnai-je d'un air de doute.

— Pas aujourd'hui.

Tirant la corde, nous descendîmes lentement jusqu'au second étage. Poirot poussa une exclamation de satisfaction en constatant que la porte de service était ouverte.

— Vous remarquez? Ils ne verrouillent jamais ces portes pendant la journée. Et cependant, n'importe qui pourrait monter ou descendre comme nous l'avons fait. La nuit, oui... Et encore pas toujours... Et c'est contre cela que nous allons prendre les dispositions nécessaires.

Tout en parlant, il tira des outils de sa poche et se mit prestement au travail, son objectif étant d'arranger la serrure de manière à ce qu'il soit possible de l'ouvrir de l'extérieur. L'opération ne lui prit pas plus de trois minutes. Il rempocha ses outils et nous regagnâmes notre domaine personnel.

Lundi, Poirot fut absent toute la journée et, lorsqu'il revint dans la soirée, il se laissa tomber dans son fauteuil avec un soupir de soulagement.

— Hastings, voulez-vous que je vous raconte une petite histoire? Une histoire comme vous les aimez et qui vous rappellera vos films favoris.

— Je vous écoute. Je présume que c'est une anecdote authentique et non une de ces fables nées de votre imagination?

— C'est assez véridique. L'inspecteur Jap, de Scotland Yard, pourra répondre de son exactitude, étant donné que c'est grâce à ses bons offices qu'elle est parvenue à mon oreille. Écoutez, Hastings, il y a un peu plus de six mois, des plans maritimes importants ont été dérobés dans un service gouvernemental américain. Ils indiquaient la position de quelques-uns des plus importants ports de défense et représentent une valeur considérable pour n'importe quel gouvernement étranger. Les soupçons se portèrent sur un certain Luigi Valdarno, italien de naissance, qui occupait un poste subalterne au ministère et qui disparut à la même époque que les documents. Que Luigi Valdarno ait été le voleur ou non, on retrouva son corps criblé de balles, deux jours plus tard, dans le quartier est de New York. Les documents n'étaient pas sur lui. Ceci dit, on apprit que le garçon s'était affiché durant quelque temps avec une certaine Miss Elsa Hardt, jeune chanteuse récemment apparue, qui habitait avec son frère à Whashington. On ne sait rien du passé de miss Hardt qui se volatilisa brusquement vers l'époque de la mort de Valdarno. On a de fortes raisons de croire qu'elle était en réalité une habile espionne internationale, se servant de noms d'emprunt variés et à laquelle on attribuait de nombreuses missions néfastes pour nous. Les services secrets américains, tout en faisant de leur mieux pour retrouver la trace de miss Hardt, gardaient l'œil sur un certain gentleman japonais résidant à Washington. Les autorités pressentaient que, lorsque la jeune femme aurait suffisamment effacé sa piste, elle approcherait le gentleman en question. L'un d'eux partit brusquement pour l'Angleterre, il y a quinze jours. Donc, d'après les apparences, il semblerait qu'Elsa Hardt soit ici.

Poirot s'interrompit et reprit doucement :

— Le signalement de miss Hardt est le suivant : 5 pieds 7 pouces, yeux bleus, cheveux auburn, teint clair, nez droit, pas de signe particulier.

— Mrs. Robinson! m'exclamai-je d'une voix altérée.

— Disons qu'il y a une chance pour qu'il s'agisse d'elle, rectifia Poirot. J'ai aussi appris qu'un homme au teint basané, un étranger en quelque sorte, se renseignait sur les occupants du numéro 4, et cela pas plus tard que ce matin. Par conséquent, mon ami, je crains qu'il ne vous faille renoncer à vous coucher tôt ce soir, et vous préparer à partager ma nuit de veille dans l'appartement numéro 4... armé de votre revolver, bien entendu !

— Je vous crois, m'exclamai-je enthousiasmé. Quand partons-nous ?

— Minuit me paraît être l'heure à la fois classique et appropriée. Rien n'est susceptible de se produire plus tôt.

A minuit précis, nous nous introduisîmes avec précaution dans le monte-charge qui nous conduisit au second. Sous la manipulation de Poirot, la porte de bois s'ouvrit sans mal et nous pénétrâmes dans l'appartement. De l'office, nous passâmes dans la cuisine où nous nous installâmes confortablement sur des chaises, avec la porte, donnant sur le hall, entrouverte.

— A présent, rien d'autre à faire qu'attendre, murmura Poirot, satisfait, en fermant les yeux.

L'attente me parut interminable. J'étais terrifié à l'idée que je pouvais m'endormir. Il me semblait que nous veillions depuis huit heures au moins, alors qu'en réalité comme je l'appris plus tard, cela n'avait pas duré plus d'une heure et vingt minutes, lorsque je perçus un léger grattement. La main de Poirot toucha la mienne. Je me levai et, ensemble, nous nous dirigeâmes avec précaution vers le hall d'où le son provenait. Poirot me chuchota à l'oreille :

— A l'extérieur de la porte d'entrée, il est en train de limer la serrure. Quand je vous en donnerai l'ordre, pas avant, sautez-lui dessus par-derrière et maintenez-le-bien. Prenez garde, car il aura certainement un poignard.

Bientôt il y eut le bruit d'un métal qui cède et un petit cercle de lumière éclaira l'espace laissé par la serrure. La clarté disparut et aussitôt la porte fut lentement poussée. Poirot et moi nous nous collâmes contre le mur. J'entendis la respiration de l'homme alors qu'il passait près de nous. Il alluma sa torche et au même instant, Poirot me souffla à l'oreille :

— Allez !

Nous nous sommes élancés ensemble. Poirot enveloppa la tête de l'intrus avec une écharpe de laine tandis que je lui arrachai un couteau des mains. Toute l'affaire fut rapide et silencieuse. Poirot abaissa l'écharpe de devant les yeux de l'homme tout en lui laissant le bas du visage couvert. Je lui montrai mon revolver pour qu'il comprenne que toute résistance était inutile. Alors qu'il se calmait, Poirot approcha ses lèvres de son oreille et lui parla avec volubilité. Au bout d'une minute, l'autre hocha la tête et Poirot, imposant le silence d'un geste, nous entraîna hors de l'appartement. Nous descendîmes l'escalier, notre captif derrière Poirot et moi fermant la marche, revolver au poing. Lorsque nous eûmes atteint la rue mon ami se retourna.

— Il y a un taxi qui attend juste au coin. Donnez-moi le revolver, nous n'en aurons plus besoin à présent.

— Mais si ce type essaie de se sauver ?

Poirot sourit.

— Il n'essaiera pas.

Je revins quelques secondes plus tard avec le taxi.

L'écharpe avait été retirée du visage de l'étranger et je sursautai :

— Ce n'est pas un Jap, murmurai-je dans un souffle à l'oreille de Poirot.

— L'observation a été toujours votre point fort, Hastings! Rien ne vous échappe. Non, l'homme n'est pas un Japonais, c'est un Italien.

Ayant pris place dans le taxi, Poirot donna au chauffeur une adresse à Saint-John Wood. J'étais complètement perdu. Ne voulant pas demander à mon ami où nous nous rendions en présence de notre captif, je tentai de vains efforts pour obtenir quelques éclaircissements sur les événements en cours.

Nous descendîmes devant une petite maison située en retrait de la rue. Un passant attardé, légèrement éméché, titubant le long du trottoir, se heurta presque à Poirot qui lui lança quelques mots acerbes que je ne compris pas. Nous montâmes tous trois les degrés du perron. Poirot sonna à la porte, tout en nous demandant de nous tenir un peu en retrait. N'obtenant pas de réponse, il sonna à nouveau, puis saisit le heurtoir et en frappa plusieurs fois le panneau avec vigueur.

Une lumière apparut soudain au-dessus de l'imposte et la porte s'entrouvrit légèrement.

— Que diable voulez-vous? s'écria une voix d'homme.

— Voir le médecin! Ma femme est malade!

— Il n'y a pas de médecin ici!

L'homme s'apprêta à refermer le battant mais Poirot plaça adroitement son pied dans l'ouverture. Il devint brusquement la parfaite caricature du Français furieux.

— Que racontez-vous là? Il n'y a pas de médecin ici? Je vais vous intenter un procès. Vous devez venir! Je resterai ici à sonner et à frapper toute la nuit s'il le faut!

— Cher monsieur...

La porte s'ouvrit toute grande et l'homme, vêtu d'une robe de chambre et chaussé de pantoufles, s'avança pour calmer son visiteur, tout en jetant un coup d'œil gêné alentour.

— Je vais appeler la police.

Poirot s'apprêta à redescendre les marches, mais l'homme se précipita sur ses talons.

— Non, ne faites pas cela pour l'amour de Dieu!

D'une poussée brusque, Poirot l'envoya trébucher sur les marches et, en moins d'une minute, nous étions tous trois dans la place fermée et verrouillée.

— Vite... Par ici! Poirot nous guida dans la pièce la plus proche, pressant le commutateur électrique au passage. Et vous... derrière le rideau.

— Si signor, répondit l'Italien qui se glissa prestement derrière les longs rideaux de velours rose masquant la fenêtre.

Il était temps. Une femme entra brusquement dans la pièce. Elle était grande, avec des cheveux roux foncé et portait un kimono pourpre qui dessinait sa taille fine.

— Où est mon mari? cria-t-elle en regardant autour d'elle d'un air apeuré. Qui êtes-vous?

Poirot s'avança en s'inclinant.

— Il est à souhaiter que votre mari n'attrape pas un rhume. J'ai remarqué qu'il portait heureusement des pantoufles et que sa robe de chambre était épaisse.

— Qui êtes-vous? Que faites-vous chez moi?

— Il est vrai que nous n'avons pas le plaisir de vous connaître, madame. C'est particulièrement regrettable pour l'un de nous, venu spécialement de New York pour vous rencontrer.

Les rideaux s'entrouvrirent alors et l'Italien s'avança. A ma stupéfaction, je constatai qu'il brandissait le revolver que Poirot avait dû, par mégarde, déposer sur la banquette du taxi.

La femme poussa un cri aigu et se détourna pour s'enfuir, mais Poirot se tenait devant la porte fermée.

— Laissez-moi passer, cria-t-elle, il va m'assassiner!

— Qui a tué Luigi Valdarno? demanda l'Italien d'une voix rauque, pointant le revolver vers le groupe que nous formions. Nous n'osions pas bouger.

— Mon Dieu, Poirot, c'est affreux! Qu'allons-nous faire?

— Vous m'obligerez en vous abstenant de tant parler, Hastings, je vous assure que notre ami ne tirera pas avant que je ne le lui en donne la permission.

— Vous en êtes sûr, hé! ricana l'Italien.

J'étais épouvanté, mais la femme se tourna brusquement vers Poirot.

— Que voulez-vous?

Poirot s'inclina.

— Je ne pense pas qu'il soit nécessaire d'insulter à l'intelligence de miss Elsa Hardt en le lui précisant.

D'un mouvement vif, elle souleva un gros chat de velours noir qui servait d'enveloppe au téléphone.

— Ils sont cousus dans la doublure.

— Ingénieux, murmura Poirot d'un ton approbateur. Il s'écarta de la porte. Bonsoir, madame. Je vais retenir votre ami de New York pendant que vous assurez votre sortie.

— Quel fou! rugit le grand Italien qui leva le revolver et tira à bout portant sur la silhouette de la jeune femme qui s'esquivait.

Je bondis sur lui, mais l'arme ne fit que claquer à vide et Poirot remarqua sur un ton faussement peiné :

— Jamais vous ne ferez confiance à votre vieil ami, Hastings. Je n'aime pas que mes amis portent un pistolet chargé sur eux et je le permettrai encore moins à une simple et récente relation.

Puis, s'adressant à l'Italien qui jurait, furieux :

— Pensez donc à ce que j'ai fait pour vous : je viens tout bonnement de vous sauver du gibet. Et ne croyez pas que notre belle dame s'échappera... La maison est gardée de tous côtés, elle tombera tout droit dans les bras de la police. N'est-ce pas là une pensée réconfortante? Oui, vous pouvez partir maintenant. Mais prenez garde... Prenez garde... Je... Ah, il est parti! Et mon ami Hastings me contemple avec un air de reproche. Mais tout était si simple! Il s'avérait clairement, dès le début, que parmi des centaines de postulants à l'appartement 4 de Montagu Mansions, seuls les Robinson furent trouvés acceptables. Pourquoi? Qu'est-ce qui les distinguait des autres? Et du premier coup d'œil? Leur apparence? Possible, mais elle n'avait rien de si singulier non plus! Ah! Sapristi, mais c'est ça! C'était là la question! Elsa et son mari ou son frère ou quel qu'il soit, viennent de New York et louent un appartement sous le nom de Robinson. Soudain, ils apprennent qu'une société secrète, la Mafia ou la Camorra, à laquelle sans aucun doute Luigi Valdarno appartenait est sur leurs traces. Que font-ils? Ils adoptent un plan d'une simplicité transparente. De toute évidence, ils savaient que leurs poursuivants ne les connaissaient pas de vue. Quoi de plus simple alors? Ils offrent l'appartement à un prix ridiculement bas. Parmi les milliers de jeunes couples qui cherchent un logement à Londres, il se trouvera bien plusieurs Robinson. Ce n'est qu'une question de patience. Si vous jetez un coup d'œil sur l'annuaire téléphonique, vous admettrez qu'il devait fatalement exister au moins une Mrs. Robinson aux cheveux auburn, laquelle se présenterait un jour ou l'autre. Ensuite, que doit-il se passer? Le vengeur arrive. Il connaît le nom, il connaît l'adresse! Il porte son coup! Tout est terminé, la vengeance est satisfaite et miss Elsa Hardt s'est échappée une fois de plus. A propos, Hastings, il faudra me présenter à la vraie Mrs. Robinson... cette créature délicieuse et digne de confiance. Que penseront-ils, les Robinson lorsqu'ils constateront que leur appartement a été forcé? Nous devons vite retourner là-bas! Ah, cela doit être Japp et ses amis qui arrivent!

Une série de coups violents ébranla la porte.

— Comment connaissez-vous cette adresse? demandai-je alors que nous retournions dans le hall. Oh, mais j'y suis! Vous avez fait suivre la première Mrs. Robinson lorsqu'elle abandonna l'autre appartement!

— A la bonne heure, Hastings, vous faites enfin marcher vos cellules grises. A présent, une surprise pour Japp.

Tournant doucement la poignée de la porte, il plaça la tête du chat dans l'entrebâillement en poussant un « miaou » perçant.

L'inspecteur de Scotland Yard, qui se tenait à l'extérieur accompagné d'un étranger, sursauta.

— Oh! Ce n'est que M. Poirot dans une de ses petites plaisanteries, s'exclama-t-il, alors que la tête du petit détective apparaissait derrière celle du chat. Pouvons-nous entrer?

— Vous avez mis nos amis en sécurité?

— Oui, nous avons cueilli les oiseaux, mais ils ne portaient pas la marchandise sur eux.

— Je vois... Alors, vous venez dans la maison pour la chercher? Eh bien! je suis sur le point de partir avec Hastings, mais auparavant, j'aimerais vous donner une petite leçon sur l'histoire et les habitudes du chat domestique.

— Seigneur! Êtes-vous devenu complètement maboul?

— Le chat, déclama Poirot, était adoré par les Égyptiens anciens. On considère encore comme un signe de chance le fait qu'un chat noir croise votre chemin. Or, ce chat a croisé votre chemin, Japp. Parler de l'intérieur d'un animal ou d'une personne n'est pas jugé correct en Angleterre. Mais l'intérieur de ce chat est tout ce qu'il y a de plus délicat. Je parle de sa doublure, bien entendu.

Avec un brusque grognement, l'homme qui accompagnait l'inspecteur saisit l'animal des mains de Poirot.

— Oh! J'oubliais de vous présenter, s'exclama Japp : Monsieur Poirot, voici Mr. Burt, du service secret des États-Unis.

Les doigts experts de l'Américain trouvèrent ce qu'ils cherchaient. Mr. Burt ouvrit sa main et, durant un moment, la parole lui manqua. Puis, il se montra à la hauteur de la situation :

— Heureux de faire votre connaissance, Monsieur Poirot.

LE MYSTÈRE
DE HUNTER'S LODGE

— Mon cher Hastings, je comprends que je ne vais pas mourir cette fois-ci, murmura Poirot.

Cette remarque optimiste, d'un malade atteint de la terrible grippe, était d'un heureux effet. J'avais le premier souffert de cette maladie, et Poirot n'y avait pas échappé. Il était maintenant assis sur son lit, appuyé sur de nombreux oreillers, la tête émergeant d'un châle de laine, et il buvait lentement une tisane que j'avais soigneusement préparée d'après ses instructions.

— Eh bien, oui! continua mon ami, je vais redevenir moi-même, le grand Hercule Poirot, la terreur des malfaiteurs!

— Mais vous êtes une personnalité, Poirot. Et heureusement pour vous, vous n'avez manqué dernièrement aucune affaire intéressante.

— C'est vrai... Je n'ai pas à regretter les quelques cas que j'ai refusés.

A cet instant, la propriétaire entra.

— Il y a en bas un monsieur qui veut absolument voir M. Poirot ou vous, capitaine Hastings. Il a très grand air... Voici sa carte.

Elle me tendit le bristol et je lus : « Monsieur Roger Havering. »

Poirot dirigea ses regards vers la bibliothèque ; immédiatement je compris ce qu'il voulait et lui tendis le Gotha. Il le feuilleta rapidement :

« Deuxième fils du cinquième baron Windsor. Épousa en 1913, Zoé, quatrième fille de William Crabb. »

— Hum ! dis-je, je crois bien que c'est elle qui jouait au théâtre « Frivolity » mais elle se faisait appeler Zoé Carrisbrook. Je me souviens qu'elle épousa un jeune homme de la société avant la guerre.

— Voulez-vous aller voir ce que désire ce visiteur, Hastings ? Excusez-moi auprès de lui.

Roger Havering était un homme d'environ quarante ans, grand et très élégant. Mais ses traits étaient contractés et ses yeux hagards. Je compris immédiatement qu'il était en proie à une terrible agitation.

— Capitaine Hastings ? Vous êtes le collaborateur de M. Poirot, n'est-ce pas ? Il faut absolument qu'il vienne avec moi dans le Derbyshire aujourd'hui.

— Je suis navré, monsieur, mais c'est impossible, répliquai-je, Poirot est au lit, il a la grippe.

— Mon Dieu ! murmura-t-il découragé, cela est un coup terrible pour moi. Je comptais tant sur lui !

— C'est donc une affaire très sérieuse ?

— Oh ! oui ! Mon oncle, le meilleur ami que j'avais sur terre, a été assassiné la nuit dernière.

— A Londres ?

— Non, dans le Derbyshire. J'étais à Londres et j'ai reçu un télégramme de ma femme ce matin : c'est pourquoi je suis venu tout de suite prier M. Poirot de prendre l'affaire en main.

80

— Excusez-moi un instant, je vous prie, dis-je, frappé par une idée lumineuse.

Je montai l'escalier quatre à quatre, et en quelques mots, je mis Poirot au courant de la situation. Il ne me laissa pas achever.

— Je comprends, je comprends... Vous voulez y aller vous-même, n'est-ce pas? Eh bien, pourquoi pas? Je pense que maintenant vous connaissez ma méthode. Tout ce que je vous demande c'est de me faire un rapport chaque jour, et de suivre à la lettre les instructions que je vous télégraphierai...

Je fus d'accord avec lui et partis:

Une heure plus tard, je quittai Londres, assis en face de Mr. Havering, dans un compartiment de première classe du Midland Railway.

— Pour commencer, Capitaine Hastings, il faut que je vous explique que Hunter's Lodge, le lieu du drame, n'est qu'un petit chalet de chasse au milieu des marais du Derbyshire. Notre domicile habituel est près de Newmarket, et nous louons généralement un appartement en ville pour la saison. Hunter's Lodge est entretenu par une femme de charge qui suffit bien à nous servir seule quand nous y allons passer un week-end. Bien entendu, pendant la chasse, nous emmenons nos domestiques de Newmarket. Mon oncle, Mr. Harrington Pace (vous savez probablement que ma mère était une demoiselle Pace de New York), habite avec nous depuis trois ans. Il ne s'est jamais bien accordé ni avec mon père, ni avec mon frère aîné, mais il me témoignait une grande affection. Je suis pauvre, et mon oncle était très riche... Enfin, il nous aidait beaucoup. De plus, sa compagnie étant agréable, nous nous entendions très bien tous les trois.

« Il y a deux jours, il se sentit fatigué de la vie mouvementée de la ville, et nous proposa de passer deux ou trois jours à Hunter's Lodge. Ma femme télégraphia à Mrs. Middleton, la femme de charge, et nous partîmes aussitôt. Hier, je fus obligé de revenir à Londres, mais ma femme et mon oncle restèrent. Ce matin, j'ai reçu ce télégramme. »

Il me le tendit.

« Venez tout de suite, oncle Harrington assassiné hier soir, amenez bon détective si possible, mais venez vite. Zoé. »

— Et vous n'avez aucun détail?

— Non.

A trois heures, nous arrivâmes à la petite gare de Elmer's Dale. Là, nous prîmes une auto, car cinq kilomètres nous séparaient encore de Hunter's Lodge. En arrivant à cette maison de pierre grise, seule au milieu des marais, je ne pus m'empêcher de frissonner.

— Comme c'est triste! murmurai-je.

— Je vais essayer de m'en débarrasser, répondit Havering, jamais plus je ne pourrai vivre dans cette maison.

Il ouvrit la grille, et nous longions l'étroit sentier qui conduit à la maison, lorsqu'une silhouette familière apparut et vint à notre rencontre.

— Japp! m'écriai-je.

L'inspecteur de Scotland Yard me fit un petit signe amical avant de s'adresser à mon compagnon.

— Monsieur Havering, je suppose? Je suis envoyé de Londres pour m'occuper de cette affaire, et j'aimerais vous parler un instant, s'il vous plaît.

— Ma femme...

— Je l'ai vue, monsieur, ainsi que la femme de charge. Je ne vous retiendrai qu'un instant, mais il me tarde de retourner au village à présent que j'ai vu tout ce qui pouvait m'intéresser ici.

— Je ne sais rien...

— Évidemment, reprit Japp, mais néanmoins, je serais heureux d'avoir votre opinion sur une ou deux petites choses. Le capitaine Hastings va aller annoncer à Mrs. Havering votre arrivée. Au fait, qu'avez-vous fait de votre petit ami, capitaine?

— Il a la grippe.

— Ah! oui? Je suis navré. Vous voir ici sans lui me fait penser un peu à une voiture sans son cheval, n'est-ce pas?

Sur cette obligeante réflexion, je me dirigeai vers la maison. Je sonnai, car Japp avait refermé la porte derrière lui. Au bout de quelques instants, une femme d'environ cinquante ans, vêtue de noir, m'ouvrit.

— Mr. Havering sera ici dans un instant, expliquai-je. Il est retenu par l'inspecteur. Je suis venu de Londres avec votre maître pour l'aider dans ses recherches. Vous allez peut-être pouvoir me dire en quelques mots ce qui est arrivé la nuit dernière?

— Entrez donc, monsieur.

Elle referma la porte derrière moi et c'est dans un hall assez sombre qu'elle me parla.

— Un homme est venu hier soir après dîner. Il m'a dit qu'il voulait voir Mr. Pace, et je l'ai fait entrer dans le bureau où Mr. Havering range ses fusils. Il n'a pas voulu me dire son nom... Sur le moment je n'y ai pas attaché d'importance, mais maintenant cela me paraît un peu étrange. Je suis allée prévenir Mr. Pace, qui sembla étonné de cette visite tardive. Il a simplement dit à Madame : « Excusez-moi, Zoé, il faut que j'aille voir ce que me veut cet homme. » Puis, il est entré dans le bureau et je suis retournée à la cuisine.

Quelques minutes après, j'ai entendu un bruit de querelle, et je suis sortie dans le couloir. Au même instant, Madame est sortie, elle aussi, et c'est alors que nous entendîmes une détonation, puis un silence de mort. Nous nous sommes précipitées vers le bureau, mais la porte était fermée à clef. Nous avons été obligées de passer par la fenêtre, qui était ouverte. A l'intérieur, Mr. Pace gisait au milieu d'une mare de sang.

— Qu'était devenu le visiteur?

— Il se sera certainement enfui par la fenêtre, monsieur, avant que nous ayons eu le temps d'arriver.

— Et après?

— Mrs. Havering m'a envoyé chercher la police. Il y avait cinq kilomètres de marche à faire. Les policiers sont revenus avec moi, et le chef a passé la nuit à la maison. L'inspecteur de Londres est arrivé ce matin.

— Comment était cet homme qui vint voir Mr. Pace?

La femme de charge réfléchit un instant :

— Il avait une barbe noire, monsieur, paraissait avoir de quarante à cinquante ans, et portait un pardessus clair. Ce qui m'a le plus frappée, c'est son accent américain.

— Très bien, merci. Pourrais-je voir Mrs. Havering?

— Elle est en haut, monsieur, dois-je l'appeler?

— S'il vous plaît. Dites-lui que Mr. Havering est dans le jardin avec l'inspecteur Japp, et que le monsieur qu'il a amené de Londres serait heureux de lui parler le plus tôt possible.

— Entendu, monsieur.

Mrs. Havering ne se fit pas attendre longtemps. J'entendis bientôt un pas léger qui descendait l'escalier, et, en levant la tête, je vis une jolie jeune femme s'avancer vers moi. Elle était vêtue d'un pull-over rouge feu et d'un chapeau de même teinte, qui seyaient merveilleusement à sa physionomie éveillée et vivante. Même la tragédie qui venait de se dérouler presque sous ses yeux n'avait pas réussi à diminuer la puissance de vie qui semblait émaner d'elle.

— Oh! Mais j'ai souvent entendu parler de vous et de votre collègue, M. Poirot, dit-elle. Vous avez fait ensemble des choses admirables. Je suis ravie que mon mari ait pu vous atteindre aussi rapidement. Maintenant, désirez-vous me poser quelques questions? C'est le meilleur moyen d'apprendre tout ce dont vous avez besoin sur cette pénible affaire, n'est-ce pas?

— En effet, madame. Pouvez-vous me dire à quelle heure cet homme est arrivée?

— Il devait être neuf heures. Nous avions fini de dîner, et prenions le café en fumant une cigarette.

— Votre mari était déjà parti pour Londres?

— Oui, il est parti par le train de 6 h 15.

— Est-il allé à pied ou en auto à la gare?

— Notre auto n'est pas ici. Une voiture du garage de Elmer's Dale est venue le chercher pour le conduire à la gare.

— Mr. Pace était-il dans son état normal?

— Oh! Très normal, à tous points de vue.

— Maintenant, madame, vous serait-il possible de me décrire le visiteur?

— Malheureusement non, je ne l'ai pas vu. Mrs. Middleton l'a fait entrer directement dans le bureau et est venue prévenir mon oncle.

— Et qu'a dit votre oncle?

— Il a paru assez contrarié, mais est cependant allé tout de suite voir cet homme. C'est à peu près au bout de cinq minutes que j'ai entendu les voix s'élever. Je me suis précipitée dans le hall au moment même où Mrs. Middleton sortait de la cuisine. A cet instant nous avons entendu le coup de fusil. La porte du bureau était fermée à clef de l'intérieur, et nous avons dû entrer par la fenêtre. Naturellement cela nous prit quelques minutes, qui permirent au meurtrier de s'échapper... Mon pauvre oncle — sa voix se brisa — avait reçu une balle dans la tête. Je vis tout de suite qu'il était mort. J'envoyai Mrs. Middleton chercher la police. J'ai bien pris soin de ne toucher à rien dans la pièce, de tout laisser tel que je l'avais trouvé.

— Vous avez bien fait. Mais... l'arme?

— Je crois pouvoir imaginer ce qui s'est passé, capitaine. Deux revolvers appartenant à mon mari étaient accrochés au mur, l'un d'eux n'y est plus. Je l'ai fait remarquer aux policiers, et ils ont emporté l'autre. Quand ils auront pu retirer la balle de la blessure, je suppose qu'ils identifieront l'arme.

— Puis-je aller dans le bureau?

— Certainement. La police a terminé dans cette pièce. Mais le corps a été enlevé.

Elle m'accompagna. A ce moment, Havering entra dans le hall, et, avec un mot d'excuse, sa femme courut à lui. Je restai donc seul pour entreprendre mes recherches.

Je ne trouvai aucun indice.

Seule une immense tache de sang sur le tapis. J'examinai tout avec grande attention et pris deux photographies de la pièce avec le petit appareil que j'avais emporté. J'examinai aussi, dans le jardin, le terrain à proximité de la fenêtre, mais il avait été tellement piétiné qu'il était inutile de perdre mon temps.

Ayant vu tout ce que Hunter's Lodge pouvait me montrer, je n'avais plus qu'à retourner à Elmer's Dale et à me mettre en rapport avec Japp. Je pris donc congé des Havering.

Je trouvai Japp à Matlocks Arms, et il m'emmena voir le corps. Harrington Pace était petit, complètement rasé, le vrai type de l'Américain. Le coup l'avait atteint derrière la tête, et fut, sans aucun doute, tiré de très près.

— Il se retourna un instant, déclara Japp, son visiteur arracha un revolver du mur, et le tua. Celui que Mrs. Havering nous a confié était chargé, donc je suppose que l'autre l'était également. L'inconscience de certaines personnes est inconcevable! Accrocher deux revolvers chargés à un mur! Oh! Non, tout de même!

— Que pensez-vous de tout cela? demandai-je quand nous nous fûmes retirés.

— Pour commencer, je surveille Havering. Oui, oui, ajouta-t-il devant ma stupéfaction. Havering a une ou deux petites affaires louches dans son passé. Quand il était encore enfant, à Oxford, il y eut une histoire au sujet d'un chèque de son père qu'il avait signé. Puis il a beaucoup de dettes en ce moment. Ce sont des dettes desquelles il n'aurait pas voulu parler à son oncle. Oui... J'ouvrirai l'œil sur lui, et c'est pourquoi je tenais à lui parler avant qu'il n'ait vu sa femme, mais leurs déclarations concordent très bien; je suis allé à la gare, et il est réellement parti par le train de 6 h 15 hier. Cela le menait à Londres vers 10 h 30. Il dit être allé directement à son club et si cela est confirmé, il n'aurait, bien entendu, pas pu tuer son oncle ici à 9 h sous l'aspect d'un homme à barbe noire.

— J'allais justement vous demander ce que vous pensiez de cette barbe?

Japp fronça les sourcils.

— Je pense qu'elle a poussé très vite, pendant les cinq kilomètres qui séparent Elmer's Dale de Hunter's Lodge. Tous les Américains que j'ai connus étaient rasés. C'est parmi les associés américains de Mr. Pace qu'il faudra rechercher le meurtrier. J'ai interrogé la femme de charge d'abord, puis sa maîtresse, et leurs dépositions ne se contredisent en aucun point. Mais je regrette que Mrs. Havering n'ait pu voir ce visiteur.

Je me mis à écrire un rapport détaillé à Poirot. Avant d'expédier ma lettre, je pus y ajouter quelques renseignements supplémentaires.

On avait retiré la balle du cadavre, et constaté qu'elle avait été tirée avec un revolver identique à celui qu'avait pris la police dans le bureau de Hunter's Lodge. De plus, tous les déplacements de Mr. Havering au cours de la nuit précédente avaient été vérifiés, et il fut prouvé qu'il était bien arrivé à Londres par le train désigné. Enfin, une découverte importante venait d'être faite : un gentleman de Londres habitant Ealing avait trouvé, le matin, en traversant le passage à niveau, un paquet enveloppé de papier marron entre les rails. En l'ouvrant, il vit un revolver, qu'il s'empressa de remettre à la police du lieu. Quelques heures plus tard, cette arme fut reconnue comme étant bien celle que nous cherchions, semblable à celle que Mrs. Havering nous avait donnée. Une balle en avait été tirée.

Le lendemain matin, pendant que je prenais mon petit déjeuner, je reçus un télégramme de Poirot.

« Naturellement, l'homme à barbe noire n'était pas Havering. Il n'y a que vous ou Japp pour avoir une telle idée. Télégraphiez-moi description femme de charge. Quels habits elle portait hier, ainsi que Mrs. Havering? Inutile perdre temps à prendre photos d'intérieur. Trop posées et pas du tout artistiques. »

Poirot me parut légèrement ironique! Je pensai aussi qu'il était un peu jaloux de moi. Je trouvai sa demande au sujet des habits portés par les deux femmes absolument ridicule, mais je lui obéis.

A onze heures, la réponse de Poirot arriva :

« Conseillez Japp arrêter femme de charge avant qu'il ne soit trop tard. »

Complètement dérouté, j'allai montrer ce télégramme à Japp.

— Si M. Poirot dit cela, c'est qu'il y a une raison. J'ai à peine vu cette femme, je ne sais si je peux aller jusqu'à l'arrêter déjà, mais je vais la faire surveiller. Allons à Hunter's Lodge tout de suite.

Mais il était trop tard! Mrs. Middleton, cette femme si tranquille et si respectable avait disparu, laissant sa malle qui ne contenait rien d'anormal, et rien ne pouvait nous révéler son identité.

Mrs. Havering nous dit ce qu'elle savait d'elle :

— Je l'ai engagée, il y a à peu près trois semaines, nous dit-elle, quand Mrs. Emery, notre précédente femme de charge nous quitta. Elle me fut indiquée par le bureau de placement de Mrs. Selbourne, dans

Mount Street. C'est de là que me viennent tous mes domestiques, et de toutes, Mrs. Middleton me parut la plus gentille, elle possédait d'ailleurs de très bonnes références. Je l'ai engagée tout de suite, et en ai informé l'agence. Je crois cette femme à l'abri de tout soupçon, elle était si calme et si douce!

Il y avait là un mystère. Il était clair que cette femme n'aurait pu commettre le crime elle-même, puisque Mrs. Havering était près d'elle quand le coup partit. Cependant, si elle n'avait pas été mêlée à ce meurtre, pourquoi aurait-elle tourné les talons si brusquement?

Je télégraphiai ces dernières nouvelles à Poirot, et suggérai de faire une enquête à l'agence de Selbourne.

Sa réponse ne tarda pas :

« Enquête agence inutile, on n'aura jamais entendu parler d'elle. Cherchez quel véhicule la conduisit à Hunter's Lodge le jour de son arrivée. »

Quoiqu'un peu étonné, je m'exécutai. Les moyens de transport étaient très restreints à Elmer's Dale. Le garage avait deux Ford, mais aucune ne fut demandée ce jour-là. Mrs. Havering expliqua qu'elle avait donné à Mrs. Middleton suffisamment d'argent pour son voyage jusqu'au Derbyshire et louer une voiture pour la conduire à Hunter's Lodge.

Il restait toujours une Ford disponible à la gare de Elmer's Dale, et personne, le soir du meurtre, n'avait vu un étranger à barbe noire. On en conclut donc que le visiteur de Mr. Pace vint directement en auto, repartit de même, et que cette auto devait être celle qui avait amené la femme de charge, lorsqu'elle entra au service des Havering.

Je dois avouer que les renseignements pris à

l'agence de placement démontrèrent que Poirot avait raison. On ne connaissait pas de Mrs. Middleton. Le directeur avait, en effet, reçu la demande de l'honorable Mrs. Havering, et lui avait envoyé plusieurs personnes. Mais quand celle-ci paya l'agence, elle oublia de dire qui elle avait choisi.

Un peu découragé, je rentrai à Londres. J'y trouvai Poirot dans un fauteuil.

— Mon ami Hastings! Comme je suis heureux de vous voir! Vous vous êtes bien amusé? Vous avez bien trotté avec ce bon Japp? Vous avez interrogé et enquêté tout votre saoul?

— Poirot, dis-je, cette affaire est un profond mystère qui ne sera jamais éclairci.

— Ce n'est pas cela qui m'embarrasse. Je sais très bien qui a tué Harrington Pace.

— Vous le savez? Mais comment l'avez-vous découvert?

— Tout simplement parce que vous avez répondu à mes télégrammes. Reprenons les faits ensemble, voulez-vous? 1° Mr. Harrington Pace possède une énorme fortune qui passera sans aucun doute à son neveu; 2° on sait que son neveu est dans une situation très embarrassante; 3° on sait aussi que ce neveu n'a pas une conscience très pure.

— Mais on a la certitude que Roger Havering était à Londres le soir du crime.

— Oui. Puisque Mr. Havering a quitté Elmer's Dale à 6 h 15 et que d'après les déclarations du docteur, Mr. Pace n'est pas mort avant son départ, nous en concluons que Roger Havering n'a pas tué son oncle. Mais il y a une Mrs. Havering, Hastings.

— C'est impossible, la femme de charge était avec elle quand le coup fut tiré.

— Ah, oui! La femme de charge, mais elle a disparu.

— On la retrouvera.

— Je ne le pense pas, il y a quelque chose de bizarre au sujet de cette femme qui m'a frappé tout de suite, Hastings.

— Elle avait un rôle à jouer, je suppose.

— Et quel rôle?

— Probablement de laisser entrer l'homme à la barbe noire, répondis-je.

— Oh, non! Pas cela. Son rôle était de fournir un alibi à Mrs. Havering au moment où le coup fut tiré. Et personne ne la retrouvera, mon ami, parce qu'elle n'existe pas.

— Que voulez-vous dire, Poirot?

— Tout simplement que Zoé Havering était une actrice avant son mariage, que vous et Japp n'avez vu la femme de charge que dans un hall très sombre, une humble silhouette en noir, parlant d'une voix faible, et enfin, ni vous, ni Japp, ni personne de la police locale, n'a vu ensemble Mrs. Middleton et sa maîtresse. Mais, mon cher Hastings, c'était un jeu d'enfant pour cette intrépide jeune femme! Sous prétexte de prévenir sa maîtresse, elle monte, enfile un pull-over d'une couleur vive, et un chapeau assorti auquel sont attachées des boucles brunes. Le fard qui la vieillissait disparaît rapidement; un peu de rouge, un nuage de poudre et la brillante Zoé Havering descend, reprend sa voix claire et chantante, et joue son autre rôle... le sien, cette fois. On ne s'inquiète pas particulièrement de la femme de charge. A quoi bon? Elle ne peut pas être mêlée au crime, elle a ausssi un alibi!

— Mais le revolver que l'on a trouvé à Ealing? Ce n'est pas Mrs. Havering qui a pu l'y déposer?

— Non, c'est Roger Havering. Mais là, il a commis une faute qui m'a mis sur sa trace. Un homme qui trouve un revolver à l'endroit même où il commet son crime ne l'emporte pas à Londres, il le jette n'importe où. Le plus clair de l'affaire, c'est que les criminels voulaient à tout prix éloigner la police de Hunter's Lodge en portant les soupçons hors du Derbyshire. Bien entendu, ce n'est pas avec le revolver trouvé à Ealing que Mr. Pace a été tué. Roger Havering a tiré une balle avec cette arme pour nous dérouter, l'a emportée à Londres, est allé tout droit à son club pour avoir un alibi, il est reparti immédiatement pour Ealing par le train de banlieue. Là, il a déposé le paquet à l'endroit où on l'a trouvé, et est revenu en ville. La charmante créature qu'est sa femme a tranquillement tué son oncle après le dîner. Vous vous souvenez que la balle l'a atteint derrière la tête? Puis elle a rechargé le revolver, l'a remis à sa place, et a commencé à jouer sa petite comédie!

— C'est incroyable, murmurai-je, fasciné, et cependant...

— Et cependant c'est vrai. Mais oui, mon cher, vrai! Quant à faire comparaître ce couple en justice, c'est une autre histoire! J'ai écrit tout cela à Japp, il faut qu'il fasse tout ce qu'il pourra, mais j'ai bien peur, Hastings, que nous soyons obligés de laisser ces criminels au bon gré du sort, ou du bon Dieu, si vous préférez...

Poirot avait raison, il fut impossible d'établir des

preuves suffisantes pour permettre l'arrestation des Havering.

La grande fortune de Mr. Pace passa aux mains de ses assassins. Cependant, elle ne leur porta pas bonheur. Quelque temps après, je lus dans les journaux que Roger et Mrs. Havering se trouvaient parmi les victimes de l'accident d'avion du courrier « Paris-Londres ».

La « justice » était satisfaite.

VOL D'UN MILLION
DE DOLLARS DE BONS

— Le nombre de vols de valeurs qui ont eu lieu ces temps-ci est fantastique, observais-je un matin en repoussant le journal. Poirot, abandonnons donc le plaisir de la découverte pour nous occuper du crime. Vous avez lu le dernier coup? Les Bons « Liberty » d'une valeur d'un million de dollars, que la banque de Londres et d'Écosse envoyait à New York, ont disparu d'une manière effarante à bord de « l'Olympia ».

— Si ce n'était le mal de mer et la difficulté de pratiquer pour le combattre la méthode si parfaite de Laverguier pendant la traversée de l'Atlantique, je serais ravi de voyager à bord d'un de ces grands paquebots, soupira Poirot d'un air rêveur.

— Assurément, répondis-je avec enthousiasme. Certains d'entre eux doivent être de parfaits palaces avec leurs piscines, leurs salons, leurs restaurants... Vraiment, il doit être difficile de réaliser qu'on se trouve en mer.

— Moi, je sais toujours quand je suis en mer, déclara tristement Poirot. Et toutes ces bagatelles que vous m'énumérez ne me disent rien, mais, mon ami, considérez un moment les génies qui voyagent pour ainsi dire incognito, à bord de ces palaces flottants, comme vous les nommez si justement, il est possible d'y rencontrer l'élite, la haute noblesse du monde criminel !

Je ris.

— C'est donc là la raison de votre intérêt pour les voyages maritimes? Vous auriez aimé croiser le fer avec celui qui subtilisa les Bons Liberty?

Notre gouvernante nous interrompit :

— Une jeune lady désire vous voir, monsieur Poirot. Voici sa carte.

Le bristol portait l'inscription : miss Esmée Farquhar, et Poirot, après avoir plongé sous la table pour y pêcher une miette égarée qu'il mit soigneusement dans la corbeille à papier, fit signe à la logeuse de laisser entrer la visiteuse.

Une minute plus tard, une des plus charmantes jeunes filles que j'aie vues, fut introduite dans la pièce. Environ vingt-cinq ans, des grands yeux marron et une silhouette parfaite. Elle était vêtue avec élégance et témoignait de manières agréables.

— Asseyez-vous, je vous prie, miss. Je vous présente le capitaine Hastings qui m'aide dans mes petits problèmes.

— J'ai peur que ce ne soit un gros problème que je vous apporte aujourd'hui, monsieur Poirot, répondit la jeune fille, m'adressant un gracieux signe de tête alors qu'elle s'asseyait. Il est probable que vous en avez entendu parler par les journaux. Je fais allusion au vol des Bons Liberty sur « l'Olympia ».

Le visage de Poirot dut exprimer de l'étonnement car elle poursuivit vivement :

— Vous vous demandez sans doute quelle relation

j'ai avec un aussi important établissement que la banque de Londres et d'Écosse? Dans un sens, aucune, dans l'autre, une majeure. Monsieur Poirot je suis fiancée à Mr. Philippe Ridgeway.

— Ah! Et Mr. Philippe Ridgeway...

— ... Était préposé à la garde des bons lorsqu'ils furent volés. Naturellement, aucune faute ne peut lui être imputée et, de toute façon, il n'est pour rien dans l'affaire. Néanmoins, cette histoire lui fait presque perdre la raison et je sais que son oncle a dû reconnaître que Philippe les avait en sa possession au moment du vol. C'est un coup terrible pour sa carrière.

— Qui est son oncle?

— Mr. Vavasour, codirecteur général de la banque de Londres et d'Écosse.

— Supposons, miss Farquhar, que vous me racontiez toute l'histoire?

— Très bien. Comme vous le savez, la banque désirait étendre son crédit en Amérique et, pour cela, décida d'envoyer un million de dollars en Bons Liberty. Mr. Vavasour choisit comme messager son neveu qui, depuis plusieurs années, occupe dans la banque un poste de confiance et qui, de plus, était au courant de tous les détails concernant les rapports entre la banque et New York. « L'Olympia » leva l'ancre de Liverpool le 23 et les bons furent remis à Philippe le matin même, en main propre, par Mr. Vavasour et Mr. Shaw, les deux directeurs de la banque. Les bons comptés, empaquetés et scellés en sa présence, Philippe les enferma dans sa malle.

— Une malle munie d'une serrure ordinaire?

— Non, Mr. Shaw avait insisté pour qu'un système

spécial y fut adapté par Hubb's. Philippe, comme je vous l'ai dit, plaça le paquet dans le fond de sa malle où il fut volé juste quelques heures avant l'arrivée à New York. Une fouille rigoureuse du paquebot ne donna aucun résultat. Les bons semblaient s'être littéralement évaporés dans l'air.

Poirot eut une grimace.

— Mais ils ne disparurent pas, car, à ce que je comprends, ils ont été vendus par petits paquets, dans la demi-heure qui suivit l'entrée de « l'Olympia » dans le port! Eh bien! Il va falloir sans aucun doute, que je voie Mr. Ridgeway.

— J'allais vous suggérer de venir déjeuner au « Chestire Cheese »! Philippe m'y attend, mais il ne sait pas encore que je vous ai consulté en son nom.

Nous acceptâmes et prîmes un taxi pour nous rendre au lieu du rendez-vous. Philippe Ridgeway s'y trouvait déjà et eut un geste de surprise en voyant sa fiancée apparaître en compagnie de deux inconnus. Grand et mince, élégant, Ridgeway avait une touche de gris aux tempes bien que son âge ne dût pas atteindre la trentaine.

Miss Farquhar s'avança vers lui et posa la main sur son bras.

— Pardonnez-moi d'avoir agi sans vous consulter, Philippe. Permettez-moi de vous présenter M. Hercule Poirot, dont vous avez sûrement entendu parler, et son ami le capitaine Hastings.

Ridgeway nous salua sans songer à masquer sa surprise.

— Bien sûr, j'ai entendu parler de vous, monsieur Poirot. Mais je ne savais pas qu'Esmée songeait à vous consulter au sujet de mon... de notre problème.

— J'avais peur que vous refusiez de me laisser faire, Philippe, expliqua miss Farquhar avec douceur.

Il sourit :

— J'espère que M. Poirot pourra éclaircir cette extraordinaire énigme, car je confesse franchement que je deviens presque fou d'anxiété à ce sujet.

En fait, son visage paraissait crispé et ne montrait que trop clairement le souci qui le rongeait.

— Voyons, dit Poirot, mettons-nous à table et, tout en déjeunant, nous pourrons conférer et voir ce qu'il est possible de tenter. Je veux que Mr. Ridgeway me raconte son histoire lui-même.

Tandis que nous dégustions l'excellent steak et kidney pudding [1] de l'établissement, Philippe Ridgeway narra les circonstances précédant la disparition des bons. Son récit correspondait à celui de miss Farquhar. Lorsqu'il eut terminé, Poirot posa sa première question.

— Qu'est-ce qui vous a amené à découvrir que les bons avaient été volés, Mr. Ridgeway?

L'interpellé eut un ricanement amer :

— Cela me sauta aux yeux, monsieur Poirot. Je n'aurais pu me méprendre. Ma malle de cabine était à demi tirée de sous la couchette où je l'avais placée et sa serrure portait des marques prouvant qu'on avait essayé de la forcer.

— Mais j'avais cru comprendre qu'elle avait été ouverte avec une clef?

— C'est exact. On a d'abord essayé de l'ouvrir par la force, mais en vain. A la fin, on a dû employer un autre moyen.

---

[1] Hachis de viande et de rognons en croûte.

— Curieux, murmura Poirot, dont les yeux commençaient à refléter cette lueur verte que je connaissais si bien. Très curieux! Les voleurs perdent un temps considérable à essayer de forcer la serrure et puis... sapristi! Ils découvrent qu'ils détenaient la clef pendant tout ce temps... car chaque serrure venant de chez Hubb's est unique.

— C'est bien pour cela qu'ils ne pouvaient être en possession de la clef. Elle ne m'a jamais quitté de jour ou de nuit.

— En êtes-vous sûr?

— Certain! Et de plus, s'ils l'avaient eue, ou son double, pourquoi auraient-ils perdu des minutes précieuses à essayer de forcer une serrure impossible à ouvrir de cette façon?

— C'est exactement là la question que nous nous posons. Je me permets de prophétiser que la solution, si nous la trouvons jamais, tourne autour de ce fait curieux et paradoxal. Je vous prie de ne pas m'en vouloir de vous poser cette dernière question : *Êtes-vous absolument certain de n'avoir jamais laissé la malle non verrouillée?*

Phillipe Ridgeway se contenta de le regarder et Poirot eut un geste d'excuse.

— Ces choses peuvent arriver, je vous assure. Bien, les bons furent donc volés. Qu'en a fait le voleur? Comment est-il parvenu à descendre à terre en les emportant?

— Comment? Je ne sais. Les autorités douanières aussitôt informées ont passé au peigne fin chaque voyageur à son arrivée à New York.

— Et les bons, j'imagine, formaient un paquet volumineux?

— Certainement. Ils auraient pu difficilement être dissimulés à bord du navire... Et, de toute façon, nous savons que cela n'est pas, car ils apparurent sur le marché dans la demi-heure qui suivit l'arrivée de « l'Olympia », longtemps avant que j'en communique les numéros par télégraphe. Un courtier affirme qu'il en acheta alors que « l'Olympia » n'avait pas encore accosté. Or, il n'est pas possible d'envoyer des bons par câble télégraphique.

— Non, mais est-ce qu'aucun remorqueur n'a rejoint votre paquebot?

— Uniquement ceux des services officiels et cela seulement après que l'alarme fut donnée, lorsqu'on commençait déjà à fouiller partout... Je surveillais moi-même les remorqueurs au cas où le paquet aurait été passé à quelqu'un de cette manière. Mon Dieu! Monsieur Poirot! Cette affaire me rendra fou! On commence à murmurer que je pourrais être l'auteur du vol.

— Mais on vous a fouillé, vous aussi, à votre débarquement? demanda doucement Poirot.

— Oui.

Le jeune homme le regarda, intrigué.

— Je vois que vous ne comprenez pas ma pensée, et Poirot eut un sourire énigmatique. A présent, j'aimerais demander quelques renseignements à la banque.

Ridgeway sortit une carte de sa poche sur laquelle il griffonna quelques mots.

— Montrez ceci, et mon oncle vous recevra sans délai.

Poirot le remercia, salua miss Farquhar et, ensemble, nous nous rendîmes à Threadneedle Sreet où se dressait la maison mère de la Banque de Londres et d'Écosse. Sur présentation de la carte de Ridgeway, nous fûmes conduits à travers un labyrinthe de comptoirs et bureaux où s'affairaient une file d'employés encaissant et déboursant. Au premier étage, les deux codirecteurs nous reçurent dans une petite pièce à usage privé. Deux gentlemen graves, vieillis au service de la banque. Mr. Vavasour portait une courte barbe blanche, Mr. Shaw était rasé de frais.

— Si je comprends bien, vous êtes exclusivement un agent de recherches privé ? entama Mr. Vavasour. D'accord, d'accord. Nous nous sommes, bien entendu, placés entre les mains de Scotland Yard. L'inspecteur Mc Neil est chargé de l'affaire. Un policier très habile, je crois.

— J'en suis sûr, répondit Poirot poliment. Me permettez-vous de vous poser quelques questions au nom de votre neveu ? A propos de cette serrure, vous l'avez commandée chez Hubb's ?

— Je m'en suis chargé moi-même, intervint Mr. Shaw. Je n'aurais confié cette mission à personne. Quant aux clefs, Mr. Ridgeway en avait une et les deux autres sont à la garde de mon collègue et de moi-même.

— Et il n'aurait pas été possible qu'un employé pût s'en approcher ?

Mr. Shaw jeta un coup d'œil interrogateur à son associé qui prit la parole.

— Je crois pouvoir vous affirmer qu'elles sont restées dans le coffre où nous les avons placées le 23. Mon collègue fut malheureusement malade il y a quinze jours... En fait, le jour même où Philippe nous quitta. Il vient seulement de se rétablir.

— Une sévère bronchite n'est pas une plaisanterie

pour un homme de mon âge, expliqua l'intéressé d'un ton lugubre, mais j'ai peur que Mr. Vavasour n'ait souffert du surplus de travail qu'imposa mon absence, surtout avec ce gros ennui imprévu.

Poirot posa quelques questions supplémentaires. Je soupçonnais qu'il désirait mesurer le degré d'intimité existant entre l'oncle et le neveu. Les réponses de Mr. Vavasour furent brèves et précises. Son neveu était un employé de confiance, n'ayant à sa connaissance ni dettes ni difficultés d'argent. On lui avait confié auparavant des missions identiques.

Finalement, nous fûmes poliment congédiés.

— Je suis déçu, remarqua Poirot, alors que nous nous retrouvions dans la rue.

— Vous espériez découvrir plus? Ce sont des vieillards tellement balourds!

— Ce n'est pas leur air balourd qui me déçoit, mon ami. Je n'espère pas trouver en un directeur de banque, un « financier alerte à l'œil perçant » comme le dépeignent vos romanciers favoris. Non, c'est l'affaire qui me déçoit... C'est trop facile!

— Facile?

— Oui, ne la trouvez-vous pas d'une simplicité presque enfantine?

— Vous savez qui a volé les bons?

— Je le sais.

— Mais alors... Nous devons... Pourquoi...

— Ne vous embrouillez pas et ne vous agitez pas, Hastings. Nous n'allons rien entreprendre pour le moment.

— Mais pourquoi? Qu'attendons-nous?

— « L'Olympia ». Il doit revenir de son voyage à New York mardi prochain.

— Mais si vous savez qui a volé les bons, pourquoi lambiner? Il peut s'échapper.

— Vers une île des mers du Sud où l'extradition ne s'applique pas? Non, mon ami, il y trouverait la vie peu agréable. Quant à la raison pour laquelle j'attends... Eh bien, disons que pour l'intelligence d'Hercule Poirot, l'histoire est parfaitement claire, mais que pour d'autres personnes moins heureusement douées par le Bon Dieu, l'inspecteur Mc Neil, par exemple, il serait bon de poursuivre l'enquête afin de trouver les preuves corroborant les faits. Il faut avoir de l'indulgence pour ceux qui sont moins favorisés que soi.

— Grand Dieu! Poirot! Savez-vous que je donnerais une somme d'argent considérable pour vous voir agir d'une manière stupide rien qu'une fois? Vous êtes d'une telle vanité!

— N'enragez pas, Hastings. En vérité, je remarque qu'il y a des moments où vous me détestez presque! Hélas, je souffre des conséquences de ma propre grandeur!

Le petit homme bomba le torse et soupira de manière si comique que je fus forcé de rire.

Le mardi suivant, nous étions confortablement installés dans un compartiment de première classe du train nous menant à Liverpool. Poirot avait obstinément refusé de m'éclairer sur ses soupçons... ou incertitudes. Il se contentait d'exprimer son étonnement en constatant que je n'étais pas, comme lui, au courant de la situation. Je dédaignai de discuter et dissimulai ma curiosité derrière un rempart d'indifférence calculée. Arrivé au port, face au grand paquebot transatlantique, Poirot se montra actif. Il interrogea successivement quatre garçons de bord, s'informant d'un ami qui avait dû voyager sur le navire, lors de sa dernière traversée vers New York, le 23 :

— Un gentleman d'un certain âge, portant des lunettes, grand invalide, bougeant à peine de sa cabine.

La description parut correspondre à un Mr. Ventnor qui avait occupé la cabine C 24, voisine de celle de Philippe Ridgeway. Bien qu'incapable de deviner comment Poirot découvrit l'existence et la présence de Mr. Ventnor sur le bateau, j'étais très intéressé.

— Dites-moi, interrompis-je, ce gentleman fut-il l'un des premiers à descendre à terre à son arrivée à New York ?

— Pas du tout, monsieur, il fut au contraire l'un des derniers.

Je battis en retraite, déconfit et observai Poirot qui me grimaça un sourire. Il remercia le garçon, lui glissa un billet et nous repartîmes.

— Tout ça est bien beau, remarquai-je avec emportement, et vous pouvez ricaner tant qu'il vous plaira, mais cette dernière réponse a dû détruire toute votre précieuse théorie ?

— Comme toujours, vous ne voyez rien, Hastings ! Cette dernière réponse affirme, au contraire, le succès de ma théorie.

Je levai les mains au ciel en signe de désespoir.

— J'abandonne !

Dans le train nous ramenant à Londres, Poirot se concentra un moment pour écrire un billet qu'il glissa dans une enveloppe.

— Ceci est pour l'inspecteur Mc Neil. Nous le déposerons à Scotland Yard en passant, puis nous irons directement au restaurant « Cheshire Cheese », où j'ai prié miss Farquhar de nous faire l'honneur de dîner avec nous.

— Et Ridgeway?

— Eh bien? demanda Poirot avec une lueur de malice dans le regard.

— Mais sûrement... Vous ne pensez pas... Vous ne pouvez pas...

— L'incohérence devient chez vous une habitude, Hastings. J'ai pensé, précisément, que si Ridgeway avait été le voleur, ce qui était parfaitement possible, l'affaire aurait été délicate... Un beau travail.

— Mais pas aussi « délicate » pour miss Farquhar?

— Vous avez probablement raison. Donc tout est pour le mieux. A présent, Hastings, revoyons l'histoire. Je sens que vous en mourez d'impatience. Le paquet scellé est retiré de la malle et « s'évapore » suivant l'expression de miss Farquhar. Nous écarterons la théorie de l'évaporation que condamne la science de notre époque, pour considérer ce qu'en réalité il a pu devenir. Tout le monde refuse de croire qu'il a été passé en fraude...

— Oui, mais nous savons...

— Vous, peut-être, mais pas moi, Hastings. Je considère que, puisque ce n'était pas possible, ce fut impossible. Il reste alors deux moyens valables : ou l'on a caché le paquet à bord — également difficile, il me semble — ou on l'a jeté par-dessus bord.

— Avec flotteur, vous voulez dire?

— Sans flotteur.

Je le regardai ahuri.

— Mais si les bons avaient été jetés par dessus bord, ils n'auraient pas pu être vendus à New York !

— J'admire votre esprit logique, Hastings. Les bons étant vendus à New York, il nous faut éliminer cette possibilité. Vous voyez où cela mène ?

— Au point de départ où nous étions.

— Jamais de la vie ! Si le paquet a été balancé par-dessus bord et les bons vendus à New York, ledit paquet ne pouvait contenir les bons. Possédons-nous la certitude que le paquet *contenait bien* les bons ? Souvenez-vous : Mr. Ridgeway ne l'ouvrit jamais à partir du moment où il lui fut confié en main propre à Londres.

— Oui, mais à ce moment-là...

— Permettez-moi de continuer. Le dernier instant où on les a vus, ces bons, ils étaient encore dans le bureau de la banque de Londres et d'Écosse, le matin du 23. Ils réapparaissent ensuite à New York, une demi-heure après que « l'Olympia » y arrive et, suivant un homme que personne n'écoute, avant même son arrivée. Supposons qu'ils ne se trouvèrent jamais sur « l'Olympia », pouvaient-ils parvenir à New York par quelque autre moyen ? Oui, le « Gigantic » quitte Southampton le même jour que « l'Olympia » et bat le record de l'Atlantique. Expédiés par le « Gigantic » les bons arriveraient en Amérique un jour plus tôt ! Dès lors, tout est clair et l'affaire commence à s'expliquer. Le paquet scellé n'est qu'un faux et sa substitution doit se produire dans le bureau de la banque à Londres. Il aurait été facile pour n'importe lequel des trois hommes présents d'avoir préparé un paquet exactement semblable, pouvant passer pour l'original. Très bien. Les bons sont envoyés à un complice à

New York, avec l'ordre de vendre dès que « l'Olympia » arrivera au port; mais quelqu'un doit voyager à bord de « l'Olympia » pour déclencher le prétendu vol.

— Mais pourquoi?

— Parce que Ridgeway n'aurait eu qu'à ouvrir le paquet et découvrir qu'il s'agissait d'un faux et que les soupçons pèsent directement sur Londres. Non, l'homme à bord, dans la cabine voisine de celle de Ridgeway fait son travail, prétend forcer la serrure d'une manière flagrante afin d'attirer immédiatement l'attention sur un hypothétique voleur de rencontre et ouvre la malle avec une clef duplicata, jette le paquet par-dessus bord et attend le dernier moment pour quitter le navire. Naturellement, il porte des lunettes pour masquer ses yeux et est invalide, car il ne veut pas risquer de rencontrer Ridgeway. Il met pied à terre à New York et revient par le premier paquebot.

— Mais qui?

— L'homme qui détenait une des trois clefs, celui qui commanda la serrure et qui n'a nullement été victime d'une bronchite, chez lui, à la campagne... enfin le vieillard « balourd », Mr. Shaw! Il existe parfois des criminels qui occupent des postes importants, mon ami. Ah! Nous sommes arrivés. Miss, j'ai réussi! Vous permettez?

Et, radieux, Poirot posa un léger baiser sur les joues de la jeune fille étonnée!

L'AVENTURE
DU TOMBEAU ÉGYPTIEN

Parmi les nombreuses aventures auxquelles j'ai pris part avec Poirot, la plus sensationnelle et certainement la plus dramatique de toutes, fut celle qui nous entraîna à enquêter sur une insolite succession de morts, survenues à la suite de la découverte et de l'ouverture du tombeau du roi Menher-Ra.

Peu après la découverte de l'hypogée de Toutankh-Amon, par Lord Carnavon, Sir John Willard et Mr. Bleinner de New York, poursuivant leurs fouilles non loin du Caire, à proximité des pyramides de Gizeh, arrivèrent par hasard à une série de chambres mortuaires. Cette nouvelle affaire intéressa les experts au plus haut point. Cette sépulture était celle de Menher-Ra, l'un de ces rois obscurs de la huitième Dynastie, période de la décadence du vieux royaume, dont on ne savait presque rien. La découverte fut longuement commentée par les journaux.

Un événement qui survint peu après, frappa profondément l'esprit du public : Sir John Willard mourut brusquement d'un arrêt du cœur.

Les journaux à sensation saisirent immédiatement l'occasion pour rappeler les vieilles superstitions touchant la malédiction attachée à certains trésors égyptiens. L'écho, déjà usé, de la momie maléfique du British Museum fut ressorti avec des détails nouveaux et piquants. Bien que le musée continuât à le démentir, il connut sa vogue habituelle.

Deux semaines plus tard, Mr. Bleinner succomba à un empoisonnement aigu du sang et, quelques jours plus tard, à New York, un de ses neveux se tira une balle dans la tête. La « malédiction de Men-her-Ra » était la conversation du jour et le pouvoir magique de l'Égypte morte fut élevé jusqu'aux limites d'un culte.

C'est à ce moment que Poirot reçut un court billet de Lady Willard, veuve de l'archéologue récemment décédé le priant de lui rendre visite chez elle à Kensington Square. J'accompagnai mon ami.

Lady Willard portait le grand deuil. Son visage aux traits tirés témoignait avec éloquence de sa récente douleur.

— C'est très aimable à vous d'être venu si promptement, monsieur Poirot.

— Je suis à votre service, Lady Willard. Vous désiriez me consulter ?

— Je n'ignore pas que vous êtes détective, mais ce n'est pas seulement en cette qualité que je souhaite votre aide. Je sais que vous êtes un homme à l'esprit original, possédant de l'imagination et l'expérience du monde. Monsieur Poirot, que pensez-vous du surnaturel ?

Poirot hésita. Il réfléchit longuement avant de répondre :

— Parlons net, Lady Willard. Ce n'est pas une question d'ordre général que vous me posez. Elle vise une personne en particulier, n'est-ce pas? Vous faites allusion à votre défunt mari?

— Effectivement.

— Vous voulez que j'enquête sur les circonstances de sa mort?

— Je veux que vous vérifiiez pour moi jusqu'à quel point les racontars des journaux se basent sur des faits réels. Trois morts, monsieur Poirot... Chacune explicable si on la considère séparément, mais qui, jointe aux autres, offre une coïncidence à peine croyable, et toutes les trois survenues dans le mois qui suit l'ouverture de la tombe! Peut-être n'est-ce que pure superstition? Peut-être est-ce l'effet de quelque puissante malédiction venant du passé et qui agirait sur le présent d'une façon que la science moderne ne soupçonne pas? Pourtant la réalité, ce sont ces trois morts! Et j'ai peur, monsieur Poirot, terriblement peur. Il se peut que ce ne soit pas fini.

— Pour qui êtes-vous inquiète?

— Pour mon fils. Lorsque la nouvelle de la mort de mon mari me parvint, j'étais malade. Mon fils qui arrivait juste d'Oxford se rendit sur place. Il ramena le... corps, mais il est retourné là-bas en dépit de mes prières et supplications. Il est tellement fasciné par ce travail qu'il a l'intention de prendre la place de son père et de continuer sa méthode de fouille. Vous me prenez peut-être pour une femme insensée, facilement impressionnable, mais j'ai peur, monsieur Poirot. Supposons que l'esprit du roi mort ne soit pas encore apaisé? Vous estimez sans doute que je raconte des bêtises...

— Pas du tout, Lady Willard, l'interrompit vivement Poirot, moi aussi je crois au pouvoir de la superstiton, l'une des plus grandes influences que le monde ait jamais connue!

Je l'observai, étonné. Jamais je n'aurais pensé que Poirot fût superstitieux. Le petit homme avait néanmoins l'air profondément sincère.

— En somme, ce que vous attendez de moi, c'est que je protège votre fils? Je ferai tout mon possible pour éviter qu'il lui arrive malheur.

— Dans des circonstances ordinaires, j'en suis persuadée... Mais que pourriez-vous contre une puissance occulte?

— Dans les ouvrages du Moyen Age, Lady Willard, vous trouverez divers moyens de neutraliser la magie noire. Peut-être étaient-ils plus savants que nous à l'époque, malgré notre science dont nous nous vantons. A présent, venons-en aux faits, afin que je puisse m'orienter. Votre mari a toujours été un égyptologue convaincu, je crois?

— Depuis sa jeunesse. Il était, en archéologie, l'une des plus grandes personnalités contemporaines.

— Il me semble que, pour sa part, Mr. Bleinner n'était guère qu'un amateur?

— En effet. Très riche, il se mêlait avec joie à toute activité qui l'intéressait. Mon mari réussit à le passionner pour l'égyptologie et son argent fut très utile pour financer l'expédition.

— Et le neveu? Que savez-vous de ses goûts? Se joignit-il jamais à l'expédition?

— Je ne pense pas; au vrai, j'ignorais complètement son existence avant d'apprendre sa mort par les journaux. Je ne pense pas que son oncle et lui aient entretenu de grands rapports d'amitié. Mr. Bleinner n'a jamais laissé entendre qu'il avait de la famille.

— Quels étaient les autres membres de l'expédition?

— Il y a le Dr Tosswill, un fonctionnaire délégué par le British Museum; Mr. Schneider du Metropolitan Museum à New York; un jeune secrétaire américain; le Dr Ames qui escorte l'expédition en qualité de médecin et Hassan le domestique, profondément dévoué à mon mari.

— Vous souvenez-vous du nom du secrétaire américain?

— Harper, je crois, mais je n'en suis pas sûre. Je sais seulement qu'il n'était au service de Mr. Bleinner que depuis peu. C'est un jeune homme très aimable.

— Merci, Lady Willard.

— S'il y a autre chose...

— Pour le moment, rien. Désormais, cela me regarde, et soyez assurée que j'agirai de mon mieux pour protéger votre fils.

Ce n'étaient pas là des mots très convaincants et je vis Lady Willard tressaillir. Tout de même, le fait que Poirot n'avait pas pris ses craintes à la légère, lui procurait quelque soulagement.

Pour ma part, je n'avais jamais soupçonné que Poirot fût d'une nature encline à la superstition.

Je l'entrepris à ce sujet alors que nous retournions chez nous. Il ne se départit pas de son air grave.

— Mais si, Hastings, je crois à ces choses. Vous ne devez pas sous-évaluer le pouvoir de la superstition.

— Qu'allons-nous faire?

— Toujours pratique, ce bon Hastings! Eh bien, pour commencer, nous allons nous mettre en rapport avec New York pour obtenir de plus amples détails sur la mort du jeune Mr. Bleinner.

Il envoya son message et reçut bientôt une réponse intéressante. Le jeune Rupert Bleinner avait vécu dans la gêne depuis plusieurs années. Il fut un rôdeur de grève et un propre à rien dans plusieurs îles du Pacifique, puis revint à New York il y a deux ans pour sombrer de plus en plus dans la débauche! Je fus frappé par le fait qu'il avait réussi récemment à se procurer assez d'argent pour se rendre en Égypte. « J'ai là-bas un bon ami qui pourra m'aider financièrement » avait-il déclaré avant son départ. Arrivé sur place, cependant, ses plans échouèrent : Sir John Willard mourut pendant son court séjour en Égypte. Il retourna à New York, maudissant son avare d'oncle qui se souciait plus des os des rois morts que de ses propres parents. Rupert se replongea pendant quelque temps dans sa vie de débauche puis, sans préavis, se suicida, laissant derrière lui une lettre aux phrases curieuses et qui paraissait avoir été écrite dans un moment de remords. Il se disait un lépreux n'ayant plus sa place dans la société. Il terminait son billet en déclarant que, dans l'état où il se trouvait, il serait aussi bien mort.

Une vague théorie me traversa l'esprit. Je n'avais jamais vraiment cru à cette histoire de vengeance de roi, mort depuis des siècles. Il devait s'agir d'un crime plus moderne. Supposons, par exemple que ce jeune homme ait décidé de supprimer son oncle... choisissant de préférence l'empoisonnement. Sir John Willard absorbe le poison par erreur. Le jeune homme retourne à New York, obsédé par son crime et, lorsqu'il apprend la mort de son oncle, il réalise à quel point son geste avait été inutile. Accablé de remords, il se tue.

J'exposai à grands traits ma solution à Poirot qui se montra intéressé.

— C'est ingénieux ce que vous pensez là... Incontestablement ingénieux. Il est même possible que ce soit la réalité. Mais vous laissez de côté le pouvoir maléfique du tombeau?

Je haussai les épaules.

— Vous pensez encore qu'il joue un rôle dans l'affaire?

— Tellement, mon ami, que nous partons demain pour l'Égypte.

— Comment? m'écriai-je étonné.

— Nous nous embarquons demain.

Son visage exprima d'une manière dramatique le sentiment de son héroïsme. Il ne put cependant s'empêcher de gémir :

— Oh! La mer... Cette abominable mer!

Une semaine plus tard nous foulions le sable du désert alors qu'un soleil de plomb nous écrasait. Poirot, l'air malheureux au possible, se traînait à mes côtés. Le petit détective n'était pas bon voyageur. Nos quatre jours de croisière depuis Marseille furent pour lui une longue agonie. Arrivé à Alexandrie, il n'était plus que l'ombre de lui-même et son apparence, toujours si soignée, n'était plus qu'un souvenir. Au Caire, nous nous étions rendus directement en voiture à l'hôtel *Mena House* situé à l'ombre des Pyramides.

Le charme de l'Égypte m'envoûtait, mais pas Poirot. Habillé exactement de la même manière qu'à Londres, il portait dans sa poche une petite brosse à habits et faisait une guerre incessante à la poussière qui s'accumulait sur son complet sombre.

— Et mes chaussures, se lamentait-il, regardez-les,

Hastings! Mes chaussures vernies habituellement si élégantes! Vous voyez? Le sable est entré dedans, ce qui est douloureux, et les recouvre, ce qui offense la vue! Quant à la chaleur elle rend mes moustaches molles... Mais molles!

— Regardez plutôt le Sphinx! répliquai-je. Même moi, je suis capable de ressentir le mystère et le charme qui s'en dégagent.

Poirot le contempla, amer :

— Il n'a pas l'air heureux. Comment le pourrait-il, d'ailleurs, à demi enterré dans le sable! Ah! Ce sable maudit!

— Voyons Poirot, il y a aussi beaucoup de sable en Belgique, lui rappelai-je, me souvenant de vacances passées à Knocke-le-Boute, au milieu des « dunes impeccables », pour reprendre l'expression du guide de la région.

— Pas à Bruxelles, répliqua-t-il en examinant pensivement les pyramides. C'est vrai qu'au moins elles sont de forme solide et géométrique, mais leur surface est d'une irrégularité qui offense le goût. Quant aux palmiers, je ne les aime pas. Ils ne sont même pas plantés en rangs!

Je coupai court à ses lamentations en lui rappelant qu'il nous fallait nous mettre en route vers le campement. Nous devions nous y rendre à dos de chameau et les bêtes agenouillées attendaient patiemment que nous les montions, gardées par plusieurs garçons pittoresques et un interprète expansif.

Je passe sur le spectacle de Poirot juché sur un chameau. Il commença par des gémissements et termina par des cris aigus, des gesticulations, des invocations à la Vierge Marie et à tous les saints du calendrier. Il finit par descendre de l'animal d'une manière honteuse et termina le trajet sur un âne minuscule. Je dois avouer qu'un chameau avançant au trot n'est pas une plaisanterie pour amateur et j'en restai courbatu pendant plusieurs jours.

Nous arrivâmes finalement sur le terrain des fouilles. Un homme, au visage brûlé par le soleil, caché en partie par une barbe grise, vêtu de blanc et coiffé d'un casque colonial, s'avança à notre rencontre.

— M. Poirot et le capitaine Hastings? Nous avons reçu votre câble et je suis désolé que personne ne se soit trouvé au Caire pour vous y accueillir. Un événement imprévu a désorganisé complètement nos plans.

Poirot pâlit. Sur le point de brosser son habit, il suspendit son geste.

— Pas une autre mort? souffla-t-il.

— Si!

— Sir Guy Willard! criai-je.

— Non, capitaine Hastings, il s'agit de mon collègue américain, Mr. Schneider.

— Cause de la mort? demanda vivement Poirot.

— Tétanos.

Je pâlis à mon tour. Je sentis autour de moi comme une atmosphère maudite, subtile et menaçante. Une pensée horrible me frappa : supposons que je sois le suivant?

— Mon Dieu, murmura Poirot d'une voix profonde, je ne comprends pas, c'est affreux! Dites-moi, monsieur, il ne fait aucun doute qu'il s'agissait bien du tétanos?

— Je pense. Mais le Dr Ames vous renseignera mieux que moi.

— Ah? Bien sûr, vous n'êtes pas le docteur.

— Mon nom est Tosswill.

C'était donc lui l'expert britannique que Lady Willard avait cité comme fonctionnaire du British Museum. Son attitude grave et décidée me fut sympathique.

— Si vous voulez bien me suivre, reprit-il, je vais vous conduire jusqu'à Sir Guy Willard. Il était très anxieux d'être informé de votre arrivée.

Nous le suivîmes à travers le campement pour nous arrêter devant une tente dont il souleva le rabat pour nous laisser entrer. Nous nous trouvâmes en face de trois hommes assis.

— M. Poirot et le capitaine Hastings viennent d'arriver, Sir Guy, annonça Tosswill.

Le plus jeune du groupe se leva vivement et s'avança pour nous saluer. Ses manières spontanées me rappelèrent sa mère. Son teint moins bronzé que celui de ses compagnons et l'expression légèrement hagarde de ses yeux le faisaient paraître plus âgé que ses vingt-deux ans. Il s'efforçait visiblement de surmonter la tension qui le rongeait.

Il nous présenta ses deux compagnons : le Dr Ames, un homme d'environ trente ans, l'air compétent, une touche de gris aux tempes, et Mr. Harper, le secrétaire, jeune homme mince, portant les traditionnelles lunettes à large monture de corne.

Après quelques minutes de conversation d'ordre général, le secrétaire se retira imité par le Dr Tosswill. Nous fûmes laissés seuls avec Sir Guy Willard et le Dr Ames.

— Je vous en prie, posez toutes les questions qu'il vous plaira, monsieur Poirot, déclara Willard. Nous

118

sommes absolument stupéfaits devant cette étrange série de désastres, mais ce n'est... Ce n'est peut-être qu'une coïncidence!

Sa nervosité, cependant, démentait ses paroles. Je notai que Poirot l'observait attentivement.

— Vous prenez vraiment ce travail à cœur, Sir Guy?

— Je vous crois! Peu importe ce qui arrive ou ce qu'il en résulte, le travail continue. Résignez-vous à accepter cet état de choses!

Poirot se tourna vers Ames.

— Qu'avez-vous à dire à cela, monsieur le Docteur?

— Eh bien, répondit ce dernier d'une voix traînante, je ne suis pas, moi non plus, d'avis d'abandonner.

Poirot eut une de ses grimaces expressives.

— Dans ce cas, évidemment, nous devons découvrir où nous en sommes. Quand a eu lieu la mort de Mr. Schneider?

— Il y a trois jours.

— Vous êtes sûr qu'il était atteint du tétanos?

— Absolument.

— Il n'aurait pu s'agir d'un cas d'empoisonnement par la strychnine, par exemple?

— Non, monsieur Poirot, je vois où vous voulez en venir, mais c'était un cas très net de tétanos.

— N'avez-vous pas injecté immédiatement de sérum antitétanique?

— Certainement, répondit sèchement le médecin, nous avons tenté l'impossible pour le sauver.

— Aviez-vous le sérum avec vous?

— Non, nous avons dû le faire venir du Caire.

— Y eut-il d'autres cas de tétanos dans le camp?

— Non, aucun.

— Êtes-vous certain que Mr. Bleinner n'a pas contracté le tétanos, lui aussi?

— Absolument. Il avait une égratignure sur le pouce qui s'infecta et la septicémie s'ensuivit. Je dois admettre que, pour un profane, les deux cas pourraient paraître similaires, mais, croyez-moi, ils sont complètement différents.

— Donc, nous avons eu quatre morts, chacune très distincte : un arrêt du cœur, un empoisonnement du sang, un suicide et le tétanos.

— Exactement, monsieur Poirot.

— Êtes-vous convaincu que ces quatre morts n'ont pas un point commun entre elles?

— Qu'entendez-vous par là?

— Simplement ceci : quatre hommes auraient-ils pu commettre une même action susceptible de passer pour de l'irrespect envers l'esprit de Menher-Ra?

Le médecin eut l'air étonné.

— Vous extravaguez, monsieur Poirot! Vous ne vous êtes quand même pas laissé impressionner par toutes ces idioties?

— Absurdités, ni plus ni moins, grommela Willard furieux.

Poirot resta impassible, fermant à demi ses yeux de chat.

— Alors, vous ne le pensez pas, monsieur le Docteur?

— Non, Sir, non : je suis un scientifique.

— La science n'existait-elle donc pas du temps de l'ancienne Égypte? s'enquit doucement Poirot.

Il n'attendit pas de réponse du Dr Ames qui semblait plutôt embarrassé.

— Non, non, ne me répondez pas, mais dites-moi plutôt ce que pensent les travailleurs indigènes?

— J'imagine que, lorsque les Blancs perdent la tête, les indigènes ne sont pas loin de les imiter. J'admets qu'ils commencent à s'affoler... Mais sans aucun motif.

— C'est ce que je me demande, commenta Poirot avec réserve.

Sir Guy se pencha vers lui pour clamer :

— Voyons, il est impossible que vous ajoutiez foi à... Mais enfin, c'est impensable! Cela prouverait que vous ne savez rien de l'ancienne Égypte.

Pour toute réponse, Poirot sortit de sa poche un vieux volume tout déchiré. Il nous montra la couverture où je lus : « La Magie des Égyptiens et des Chaldéens », puis, nous tournant le dos, il sortit de la tente à grands pas. Le docteur me regarda ébahi.

— Quelle est sa petite idée?

La phrase si familière à Poirot me fit sourire, prononcée par un autre.

— Je ne sais trop. Il a certains projets pour exorciser les mauvais esprits, je crois.

Je partis à la recherche de mon ami que je trouvai conversant avec le jeune homme au long visage, qui avait été le secrétaire de Mr. Bleinner.

— Non, disait Mr. Harper, je ne fais partie de l'expédition que depuis six mois. Oui, j'étais assez au courant des affaires de Mr. Bleinner.

— Pouvez-vous me raconter quelque chose sur son neveu?

— Un jour, il est arrivé au campement un garçon

assez bien de sa personne. Je ne le connaissais pas mais d'autres membres de l'expédition l'avaient déjà rencontré, Ames, je crois, et Schneider. Mon patron ne fut pas du tout content de le voir. Ils n'ont pas mis longtemps à se disputer : « Pas un sou, criait l'oncle, pas un sou, ni maintenant, ni à ma mort. J'ai l'intention de laisser mon argent pour la poursuite de mon œuvre. J'en ai parlé à Schneider aujourd'hui même. » Le jeune Bleinner repartit directement pour le Caire après cette altercation.

— Se trouvait-il en parfaite santé, à ce moment-là?

— Qui? Le vieux Bleinner?

— Non, le jeune.

— Il me semble qu'il a fait allusion à quelque chose qui n'allait pas. Mais ce ne pouvait être sérieux, sinon, je m'en souviendrais.

— Encore une chose. Mr. Bleinner a-t-il laissé un testament?

— Pas à ma connaissance.

— Resterez-vous avec l'expédition, Mr. Harper?

— Oh, non! Dès que j'aurai réglé mes affaires ici, je retournerai à New York. Vous pouvez rire si le cœur vous en dit, mais je ne tiens pas à être la prochaine victime de ce maudit Men-her-Ra, ce qui arrivera sûrement si je reste.

En s'éloignant, Poirot lança par-dessus son épaule, avec un sourire sardonique :

— Souvenez-vous qu'il a atteint une de ses victimes à New York...

— Au diable! lança Harper.

— Ce jeune homme a les nerfs à vif, remarqua pensivement Poirot, absolument à vif.

J'observai mon ami mais son sourire énigmatique

ne m'apprit rien. Accompagnés de Sir Guy Willard et du Dr Toswill, nous visitâmes les fouilles. Les parties les plus importantes du tombeau avaient été envoyées au Caire, mais certains des accessoires encore présents nous intéressèrent vivement. Je crus détecter chez le jeune baronnet trop d'enthousiasme, une sorte d'appréhension devant la menace muette qui planait dans l'air. Alors que nous pénétrions dans la tente qui nous avait été assignée pour nous changer avant le repas du soir, une longue silhouette vêtue de blanc, se rangea de côté pour nous laisser passer, avec un geste gracieux et un mot d'accueil murmuré en arabe.

Poirot s'arrêta.

— Vous êtes Hassan, le serviteur de Sir John Willard ?

— J'ai servi Sir John, à présent, je sers son fils. Il s'avança d'un pas et baissa le ton pour ajouter : on dit que vous êtes sorcier ayant appris à se mettre en relation avec les mauvais esprits ? Faites en sorte que le jeune maître parte d'ici. Le malheur plane sur nous.

D'un brusque mouvement et sans attendre la réponse, il s'éloigna rapidement.

— Du malheur dans l'air, murmura Poirot, oui, je le sens...

Notre repas ne fut pas des plus gais. La parole avait été laissée au Dr Tosswill qui disserta longuement sur les antiquités égyptiennes. Comme nous allions nous retirer, Sir Guy saisit le bras de Poirot et pointa du doigt vers une vague silhouette qui rôdait autour des tentes. Elle n'avait rien d'humain, je reconnus distinctement la forme à tête de chacal, pareille à la gravure qui ornait les murs de la tombe.

Mon sang se glaça.

— Mon Dieu! souffla Poirot, se signant vivement, Anubis, le Dieu des âmes qui quittent ce monde.

— Quelqu'un est en train de nous mystifier! cria le Dr Tosswill, se levant indigné.

— Il s'est rendu dans votre tente, Harper, marmotta Willard, affreusement pâle.

— Non, corrigea Poirot, dans celle du Dr Ames.

Le médecin le fixa, incrédule, puis répétant les mots de Tosswill, il s'écria :

— Quelqu'un est en train de nous mystifier. Venez, nous allons attraper le farceur.

Sans hésiter, il se précipita à la recherche de l'apparition. Je l'imitai, mais nous eûmes beau inspecter la tente et les environs, nous ne pûmes trouver trace d'aucune âme vivante. Retournant vers nos compagnons, en proie à une forte émotion, nous trouvâmes Poirot prenant des mesures énergiques pour assurer sa sécurité personnelle. Il traçait fébrilement dans le sable autour de notre tente, des diagrammes et des inscriptions variées. Je reconnus l'étoile pentacle répétée plusieurs fois. Suivant son habitude, Poirot faisait en même temps une dissertation impromptue sur la sorcellerie et la magie en général, la magie blanche qui s'oppose à la magie noire, avec une allusion au Ka et au Livre des morts.

Cela eut pour effet de lui attirer le profond mépris du Dr Tosswill qui me poussa pour exploser :

— Balivernes! Pures balivernes! Cet homme est un imposteur. Il n'a aucune notion de la différence entre les superstitions du Moyen Age et les croyances de l'ancienne Égypte. Je n'ai jamais entendu pareil mélange d'ignorance et de crédulité.

Je calmai l'expert furieux et rejoignis Poirot sous notre tente. Le petit détective était radieux.

— A présent, nous pourrons dormir tranquille, déclara-t-il, et je dormirais volontiers. Ma tête me fait horriblement mal! Ah! Que j'aimerais avoir une bonne tisane!

Semblant répondre à sa prière, le battant de toile se souleva et Hassan apparut portant une tasse fumante qu'il offrit à Poirot. C'était un mélange de thé et de camomille que Poirot aimait tout particulièrement. Ayant remercié Hassan et, pour ma part, refusé une tasse de ce breuvage, nous fûmes laissés seuls. Je restais un moment debout près de l'ouverture de la tente à contempler le désert.

— Un site splendide, remarquai-je, et un travail passionnant. Cette vie dans le désert, ce coup de sonde au cœur d'une civilisation disparue... Voyons, Poirot, il est impossible que vous n'en ressentiez pas l'attrait?

Je n'obtins pas de réponse et me retournai légèrement irrité. Mon exaspération se changea vite en angoisse. Poirot se tenait renversé en arrière sur sa couche, le visage horriblement convulsé. Près de lui, je remarquai la tasse vide. Je bondis précipitamment au dehors à la recherche du Dr Ames.

— Dr Ames! criai-je en arrivant devant sa tente, venez immédiatement!

— Que se passe-t-il? questionna le médecin apparaissant en pyjama.

— Mon ami, il est malade... Mourant... Le thé à la camomille. Ne laissez pas Hassan quitter le camp!

En un éclair, le docteur arriva à notre tente où Poirot se trouvait toujours dans la position où je l'avais laissé.

— Extraordinaire, s'exclama le médein, il semble avoir eu une attaque d'apoplexie... Ou alors... Qu'avez-vous dit au sujet d'un breuvage?

Il prit la tasse vide.

— Seulement, je n'ai pas bu, prononça dans notre dos une voix calme.

Nous nous retournâmes stupéfaits. Poirot s'était redressé sur le lit et souriait.

— Non, enchaîna-t-il doucement, je ne l'ai pas bu... Alors que mon bon ami Hastings admirait lyriquement la nuit, j'ai choisi l'occasion pour vider la tasse, non dans mon gosier, mais dans une petite bouteille. Cette petite bouteille ira au chimiste expert. Non, coupa-t-il à l'adresse du médecin qui esquissait un geste. En homme intelligent, vous comprendrez que la violence ne servirait à rien. Pendant l'absence d'Hastings, qui allait vous quérir, j'ai eu le temps de placer la bouteille en lieu sûr. Ah! Vite, Hastings! Tenez-le!

J'interprétai mal l'avertissement de Poirot. Anxieux de sauver mon ami, je me jetai devant lui. Mais le mouvement vif du docteur avait un autre sens. Il porta la main à sa bouche, une odeur d'amande amère alourdit l'atmosphère et il s'écroula.

— Encore une victime, remarqua Poirot, mais la dernière, cette fois. Peut-être est-ce mieux ainsi. Il a trois morts sur la conscience.

— Le Dr Ames? m'écriai-je, mais ne croyiez-vous pas à quelque influence occulte?

— Vous m'avez mal compris, Hastings. Je voulais dire que je crois à la puissance terrifiante de la superstition. Pour peu que vous fassiez établir fermement qu'une série de morts est surnaturelle, vous pourriez presque poignarder un homme en plein jour et l'affaire serait encore mise au compte de la malédiction. Je soupçonnais dès le début que quelqu'un tirait avantage de cette histoire. J'imagine que l'idée lui est venue au moment de la mort de Sir John Willard. Les racontars ayant trait à une soi-disant malédiction prirent aussitôt leur vol. A mon avis, personne ne pouvait tirer un profit particulier de la mort de Sir John. Pour Mr. Bleinner, c'était différent du fait de sa fortune. Les informations que je reçus de New York m'apportèrent plusieurs détails intéressants. Pour commencer, le jeune Bleinner aurait déclaré avoir un bon ami en Égypte, capable de l'aider financièrement. On aurait pu penser qu'il faisait allusion à son oncle, mais dans ce cas, il l'aurait spécifié clairement. En vérité, il ne parlait pas de son parent mais d'un ami fidèle. Autre chose, il réunit assez d'argent pour entreprendre le voyage et, bien que son oncle ait refusé de lui avancer un sou, il trouve la somme nécessaire pour retourner à New York. Quelqu'un a donc dû lui prêter cette somme.

— Tout ça est assez mince, non?

— Il y a plus, Hastings. Il arrive assez souvent que des mots prononcés métaphoriquement soient interprétés à la lettre. Le contraire peut aussi se produire : dans cette affaire, par exemple. Le jeune Bleinner écrit simplement « je suis un lépreux » et personne n'a compris qu'il s'était suicidé parce qu'il croyait réellement avoir contracté l'horrible maladie qu'est la lèpre.

— Comment a-t-il pu croire?

— Perfide machination d'un esprit diabolique. Le jeune Bleinner souffrait d'une légère irritation de la peau. Or, il avait vécu dans les îles du Pacifique où la lèpre existe. Ames étant un de ses vieux amis et un médecin renommé, il ne pouvait pas douter de son diagnostic et Ames le disait lépreux. A mon arrivée ici, j'hésitai à porter mes soupçons sur Harper ou sur Ames, mais je réalisai bientôt que seul le docteur pouvait avoir commis et masqué les crimes. Par Harper, je sus qu'Ames avait connu Rupert Bleinner quelques années auparavant. Sans aucun doute le jeune garçon fit un jour un testament ou assura sa vie en faveur du docteur qui entrevit une chance de devenir riche. Rien de plus facile pour le médecin d'inoculer les germes mortels à Mr. Bleinner. Le neveu arrive ensuite et, désespéré par l'horrible révélation que lui communique son ami, se suicide. Mr. Bleinner, qu'elles qu'aient pu être ses intentions, n'avait pas rédigé de testament. Sa fortune devait passer à son neveu et, de ce dernier, au docteur.

— Et Mr. Schneider ?

— Nous ne pouvons acquérir de certitude sur son cas. N'oubliez pas, d'une part, qu'il connaissait le jeune Bleinner et pouvait avoir soupçonné quelque chose. D'autre part, le médecin a peut-être pensé qu'une nouvelle mort renforcerait le climat d'angoisse superstitieuse. En outre, je vais vous révéler un fait psychologique intéressant, Hastings : un meurtrier a toujours un grand désir de recommencer un crime qu'il tient pour parfait, sa réussite l'envoûte. De là mes craintes pour le jeune Willard. La forme d'Anubis que vous avez vue ce soir, était Hassan, déguisé par mes ordres. Je voulais voir si je réussirais à effrayer le docteur. Mais il aurait fallu plus que le surnaturel pour l'impressionner ! J'ai remarqué qu'il n'était pas complètement dupe de ma crédulité quant au domaine de l'occulte. Ma petite comédie, jouée pour lui, ne l'a pas trompé. Je me doutais qu'il essayerait de faire de moi la prochaine victime... Mais en dépit de la mer maudite, la chaleur abominable et les inconvénients du sable, mes petites cellules grises fonctionnent encore!

Poirot prouva avoir vu juste dans ses déductions : quelques années plus tôt, le jeune Bleinner à la suite d'une ivresse joyeuse, avait fait un testament facétieux, laissant « mon étui à cigarettes que vous admirez tant, et tout ce que je posséderai à ma mort, principalement mes dettes, à mon bon ami Robert Ames, qui me sauva un jour la vie alors que je manquais me noyer ».

L'affaire fut étouffée le plus possible et, aujourd'hui, encore, on parle de la singulière série de morts se rattachant au tombeau de Men-her-Ra, comme d'une triomphante preuve de la vengeance d'un roi disparu, contre les profanateurs de son tombeau.

— Une croyance qui, comme me le fit remarquer Poirot, est contraire à toute la philosophie égyptienne!

L'ENLÈVEMENT
DU PREMIER MINISTRE

Maintenant que la guerre et tous ses problèmes sont loin dans le passé, je crois pouvoir m'aventurer à révéler au monde le rôle que joua mon ami Poirot dans cette période de crise nationale. Le secret a été bien gardé; pas un écho n'en atteignit la presse. Mais maintenant qu'il n'y a plus de raison de se taire, il me paraît juste que l'Angleterre connaisse la dette qu'elle a envers mon ami qui, par son intelligence merveilleuse, a évité une si grande catastrophe.

Un soir, après dîner, mon ami et moi étions assis dans son appartement. Je ne préciserai pas la date, il suffira de dire que c'était à un moment où la « paix par négociation » était ardemment réclamée par tous les ennemis de l'Angleterre. Après avoir été réformé à la suite d'une blessure, j'obtins un emploi dans un bureau de recrutement; j'avais pris l'habitude de venir tous les soirs passer la veillée chez Poirot et de m'entretenir avec lui de tous les cas intéressants qui lui étaient confiés.

Nous commençâmes à discuter des nouvelles sensationnelles de la journée : il ne s'agissait de rien moins que de la tentative d'assassinat de Mr. David

Mac Adam, Premier Ministre anglais. Il est évident que le compte rendu des journaux avait été soigneusement censuré. On ne donnait aucun détail, si ce n'est que le Premier Ministre avait échappé par miracle à la balle qui frôla sa joue.

Je ne pus m'empêcher de trouver notre police honteusement négligente d'avoir laissé se produire une telle tentative ; mais je comprenais parfaitement que les agents allemands en Angleterre fussent prêts à tout risquer pour supprimer le Premier Ministre. « Mac le Batailleur », comme l'avait surnommé son parti, avait vigoureusement combattu l'influence pacifiste qui avait pris tant d'importance.

Il était plus que le Premier Ministre anglais ; il représentait la nation anglaise, et le faire disparaître de son poste de commandement devait porter à l'Angleterre un coup terrible en la frappant d'inertie.

Poirot était occupé à nettoyer un costume gris avec une petite éponge. Il n'y eut jamais de pire dandy qu'Hercule Poirot. Il avait la passion de l'ordre et de la netteté. Je le sentais bien, tant que cette odeur de benzine remplirait l'air, il serait incapable de m'accorder son attention.

— Je suis à vous dans une minute, mon ami. J'ai presque fini. Plus que cette tache de graisse. Voilà.

Il frotta son vêtement. Je souris tout en allumant une autre cigarette.

— Rien d'intéressant en ce moment ? demandai-je après un instant.

— J'aide une femme abandonnée à retrouver son mari. Une affaire difficile, et qui demande du tact, car j'ai l'impression que s'il est découvert, il n'en sera pas ravi. Et cela se conçoit. Pour ma part, je le comprends parfaitement, il a été bien avisé de disparaître.

Je souris.

— Enfin! Ma tache ne se voit plus. Je suis à votre disposition.

— Je vous demandais ce que vous pensiez de cet attentat contre Mac Adam?

— Enfantillage, répliqua promptement Poirot. Il est difficile de le prendre au sérieux. Conçoit-on qu'on tire, de nos jours, à la carabine? C'était bon autrefois.

— Oui, mais la carabine a bien failli atteindre son but, cette fois, lui rappelai-je.

Poirot secoua la tête avec impatience. Il allait répondre quand la porte entrebâillée laissa voir la tête de la propriétaire. Celle-ci annonça qu'en bas deux messieurs demandaient à lui parler :

— Ils ne veulent pas donner leur nom, monsieur, mais ils disent que c'est très important.

— Faites-les monter, dit Poirot en pliant soigneusement son pantalon gris.

Quelques minutes après, les deux visiteurs furent introduits, et je fus saisi en reconnaissant dans le premier un personnage aussi considérable que Lord Estair, président de la Chambre des Communes; son compagnon, Mr. Bernard Dodge, était un personnage important du ministère de la Guerre, et à ce que je savais, ami intime du Premier Ministre.

— Monsieur Poirot? interrogea Lord Estair.

Mon ami s'inclina. Le grand homme me regarda en hésitant.

— Je viens pour une affaire confidentielle.

— Vous pouvez parler librement devant le capitaine Hastings, dit mon ami en me faisant signe de rester. S'il n'est pas un détective parfait, je réponds de sa discrétion.

Lord Estair hésitait encore, mais Mr. Dodge intervint brusquement.

— Oh! Allons, ne faisons pas de manières! Il est trop certain que toute l'Angleterre connaîtra l'affaire bien assez tôt. Hâtons-nous, le tout n'est qu'une question de temps.

— Asseyez-vous, messieurs, je vous en prie, dit poliment Poirot. Voulez-vous prendre le grand fauteuil, milord?

Lord Estair tressaillit légèrement :

— Vous me connaissez?

Poirot sourit :

— Certainement. Je lis les journaux et je vois les photographies. Comment pourrais-je ne pas vous connaître?

— Monsieur Poirot, je suis venu vous consulter au sujet d'une affaire urgente et d'une importance vitale. Mais je dois vous demander le secret absolu.

— Vous avez la parole d'Hercule Poirot, je ne peux pas dire plus, dit mon ami avec une teinte de grandiloquence.

— Il s'agit du Premier Ministre. Nous sommes très troublés.

— La situation est critique, ajouta Mr. Dodge.

— La blessure est sérieuse, alors? demandai-je.

— Quelle blessure?

— La balle qu'il a reçue.

— Oh! Cela! s'écria Mr. Dodge avec dédain, c'est de l'histoire ancienne.

— Comme vous l'explique mon collègue, continua Lord Estair, il n'est plus question de cette affaire.

Elle a heureusement échoué. Je voudrais pouvoir en dire autant de la seconde tentative.

— Il y a donc eu une seconde tentative?

— Oui, mais pas de même nature. Monsieur Poirot, le Premier Ministre a disparu.

— Comment!

— Il a été enlevé!

— C'est impossible! m'écriai-je, stupéfait.

Poirot me lança un regard foudroyant qui m'enjoignait de garder le silence.

— Aussi impossible que cela paraisse, ce n'est malheureusement que trop vrai, continua Son Excellence.

Poirot regarda Mr. Dodge :

— Vous venez de dire, monsieur, que tout n'est qu'une question de temps. Que voulez-vous dire par là?

Les deux hommes échangèrent un regard, puis Lord Estair commença :

— Vous avez entendu parler, monsieur Poirot, de la prochaine conférence des Alliés?

Mon ami fit un signe de tête affirmatif.

— Pour des raisons trop évidentes, on n'a donné aucun détail sur le lieu et la date de la conférence. Mais, bien que non publié dans les journaux, le jour est naturellement connu dans les milieux diplomatiques. La conférence se tient demain soir jeudi, à Versailles. Vous pouvez mesurer maintenant la gravité terrible de la situation. Je ne vous cacherai pas que la présence du Premier Ministre à la conférence est d'une nécessité vitale. La propagande pacifiste, entreprise et maintenue par des agents allemands dans notre milieu anglais est très active. De l'avis unanime, la note essentielle de la conférence sera donnée par la puissante personnalité du Premier Ministre. Son absence risque d'avoir les résultats les plus graves... Et nous n'avons personne capable de le remplacer. Lui seul peut représenter l'Angleterre.

Le visage de Poirot était devenu grave.

— Ainsi, vous considérez que l'enlèvement du Premier Ministre a pour but immédiat d'empêcher sa présence à la conférence?

— J'en suis absolument persuadé. Il était en route vers la France.

— Et la conférence se tiendra?

— Demain soir à neuf heures.

Poirot tira de sa poche une montre énorme.

— Il est exactement neuf heures moins le quart.

— Cela fait vingt-quatre heures, dit Mr. Dodge d'un ton pensif.

— Un quart, ajouta Poirot. N'oubliez pas le quart d'heure, monsieur, il peut nous être utile... Maintenant les détails : cet enlèvement a-t-il eu lieu en Angleterre ou en France?

— En France, Mr. Mac Adam a fait la traversée ce matin. Il devait passer la nuit chez le commandant en chef, et continuer demain sur Paris. Il a traversé la Manche sur un destroyer. A Boulogne, il était attendu par l'un des aides de camp du commandant en chef et une auto du quartier général.

— Eh bien?

— Eh bien! Il est parti de Boulogne, mais il n'est jamais arrivé.

— Comment?

— Monsieur Poirot, ce n'était pas l'auto du quartier général, et un faux aide de camp. La voiture qui lui avait été envoyée fut retrouvée dans un petit chemin, le commandant et son chauffeur bâillonnés et ligotés.

— Et la fausse auto?

— Elle roule encore.

Poirot eut un geste d'impatience.

— C'est incroyable! Sûrement, elle ne peut plus échapper longtemps à l'attention.

— C'est bien ce que nous pensions. Il nous semblait qu'il ne s'agissait que de chercher soigneusement. Cette partie de la France est sous l'occupation militaire. Nous étions convaincus que l'auto ne pouvait pas rester longtemps introuvable. La police française, nos agents de Scotland Yard et les agents militaires sont sur les dents. C'est incroyable, comme vous le dites, mais on n'a rien découvert.

A ce moment-là, on frappa à la porte et un jeune officier entra tenant une lourde enveloppe scellée qu'il tendit à Lord Estair.

— J'arrive de France à l'instant, monsieur. J'ai apporté ceci selon vos instructions.

Le Ministre déchira l'enveloppe avidement et poussa une exclamation. L'officier se retira.

— Voilà enfin des nouvelles! On vient tout juste de déchiffrer ce télégramme. Ils ont trouvé la seconde auto et aussi le secrétaire Daniels, chloroformé, ligoté et blessé, dans une ferme abandonnée près de C... Il ne se souvient de rien! Il a seulement le sentiment de quelque chose qu'on aurait pressé sur ses lèvres et dans ses narines, et d'une lutte pour se libérer. La police est convaincue de sa bonne foi.

— Et c'est tout ce qu'ils ont trouvé?

— Oui.

— Pas le cadavre du Premier Ministre? Alors, il y a de l'espoir. Mais c'est étrange. Pourquoi après avoir essayé de le tuer, ce matin, prennent-ils tant de peine maintenant pour le garder vivant?

Dodge secoua la tête :

— Il y a une chose tout à fait certaine, c'est qu'ils sont déterminés à tout prix à empêcher le Premier Ministre d'assister à la conférence.

— Si c'est humainement possible, il y assistera. Dieu veuille qu'il ne soit pas trop tard. Maintenant, messieurs, racontez-moi tout depuis le commencement. Je voudrais connaître aussi cette histoire de coup de carabine.

— La nuit dernière, le Premier Ministre et l'un de ses secrétaires, le capitaine Daniels...

— Celui qui l'accompagnait en France?

— Oui. Comme je le disais, ils se rendaient en auto à Windsor où une audience devait être accordée au Premier Ministre. Ce matin, de bonne heure, il rentre en ville, et c'est pendant ce voyage qu'eut lieu la tentative d'assassinat.

— Un moment, s'il vous plaît. Qui est ce capitaine Daniels? Avez-vous son dossier?

Lord Estair sourit :

— Je pensais que vous me poseriez cette question. Nous ne savons pas grand-chose de lui. Il n'est pas d'une famille connue. Il a servi dans l'armée anglaise, et il est un excellent secrétaire, il est exceptionnellement bon linguiste. Je crois qu'il parle sept langues. C'est pour cette raison que le Premier Ministre l'avait choisi pour l'accompagner en France.

— A-t-il quelque parent en Angleterre?

— Deux tantes, une certaine Mrs. Everard, qui habite à Hampstead et une Miss Daniels, qui vit près de Ascot.

— Ascot? Ce n'est pas loin de Windsor, n'est-ce pas?

— On a négligé ce point. Mais cela ne nous aurait menés à rien.

— Alors, vous considérez le capitaine Daniels comme au-dessus de tout soupçon?

Une ombre d'amertume passa dans ses yeux comme il répondait.

— Non, monsieur Poirot, à notre époque, j'hésiterais avant de déclarer qui que ce soit au-dessus de tout soupçon.

— Très bien. Et je comprends maintenant, milord, la nécessité de garder le Premier Ministre sous la protection vigilante de la police.

Lord Estair inclina la tête.

— C'est cela. L'auto du Premier Ministre était suivie de près par une autre occupée par des détectives en civil. Mr. Mac Adam ignorait ces précautions. Il est personnellement très courageux, et s'y serait opposé. Mais, naturellement, personne n'a rien à voir dans les dispositions prises par la police. En fait, la voiture du Premier Ministre était conduite par son chauffeur O'Murphy.

— O'Murphy? C'est un nom irlandais?

— Oui. Il est, en effet, irlandais.

— De quelle partie de l'Irlande?

— County Clarc, je crois.

— Tiens! Mais, continuez, milord.

— Le Premier Ministre partit pour Londres. Il était dans une voiture fermée, lui et le capitaine

Daniels s'assirent à l'arrière. Mais, heureusement, pour une raison inconnue, sa voiture abandonna la route nationale.

— A un tournant de la route, interrompit Poirot.

— Oui, mais comment le savez-vous?

— Oh! C'est évident! Continuez.

— Je disais donc que, pour une raison inconnue, continua Lord Estair, l'auto du Premier Ministre abandonna la grand-route. Les policiers, sans remarquer le changement de direction, continuèrent sur la grand-route. Après un court trajet dans le chemin désert, l'auto du Premier Ministre fut soudain arrêtée par une bande d'hommes masqués. Le chauffeur...

— Ce brave O'Murphy, murmura rêveusement Poirot.

— Le chauffeur, un moment affolé, donna un brusque coup de frein. Le Premier Ministre mit la tête à la portière. Immédiatement une balle siffla, puis une autre. La première frôla sa joue, la seconde, heureusement, manqua son but. Le chauffeur, réalisant alors le danger, accéléra et partit droit devant lui, éparpillant la bande d'assaillants.

— Nous pouvons dire qu'il l'a échappé belle, articulai-je en frissonnant.

— Mr. Mac Adam refusa de prêter aucune attention à la légère blessure qu'il avait reçue. Il déclara que ce n'était qu'une égratignure. Il s'arrêta seulement à un poste de secours pour se faire panser, mais il ne révéla pas, bien entendu, son identité. Il se rendit alors tout droit à la gare de Charing Cross, où un train spécial l'attendait pour le conduire à Douvres, et, après un bref récit du capitaine Daniels à la police anxieuse, il partit pour la France. A

Douvres, il s'embarqua sur le destroyer qui l'attendait. A Boulogne, comme vous le savez, la fameuse auto l'attendait, portant le drapeau anglais et tous les insignes officiels.

— Est-ce tout ce que vous avez à me dire?

— Oui.

— N'avez-vous omis aucun détail, milord?

— Eh bien! Oui, il y a une autre chose assez curieuse.

— Vraiment?

— Voilà, l'auto du Premier Ministre ne reparut pas après l'avoir déposé à Charing Cross. La police désirait beaucoup interroger O'Murphy, aussi ouvrit-elle immédiatement une enquête. Elle fut découverte à la porte d'un restaurant louche de Soho, bien connu comme rendez-vous des agents allemands.

— Et le chauffeur?

— Le chauffeur est encore à découvrir. Lui aussi a disparu.

— Ainsi, dit Poirot rêveusement, il y a deux disparitions : le Premier Ministre en France et O'Murphy à Londres.

Il lança un regard scrutateur à Lord Estair qui eut un geste d'impuissance.

— Tout ce que je peux vous dire, monsieur Poirot, c'est que si, hier, quelqu'un m'avait suggéré que O'Murphy était un traître, je lui aurais ri au nez.

— Et aujourd'hui?

— Aujourd'hui, je ne sais plus ce qu'il faut penser.

Poirot secoua gravement la tête. Il consulta de nouveau son énorme montre.

— Je pense, messieurs, que vous me donnez carte blanche — je veux dire sur toute la ligne? — Il faut que je puisse aller où je désire, et par les moyens que je choisis.

— Parfaitement. Un train spécial va partir pour Douvres dans une heure, avec un nouveau contingent de Scotland Yard. Vous serez accompagné par un officier de la police militaire et un autre agent qui se tiendra à votre entière disposition. Êtes-vous satisfait?

— Tout à fait. Encore une question, s'il vous plaît, avant que vous ne partiez, messieurs. Qui est-ce qui vous a donné l'idée de venir me trouver? Je suis obscur et inconnu dans votre grand Londres.

— Nous sommes venus vous chercher sur la recommandation pressante et le désir d'un très grand homme de votre pays.

— Comment, mon vieil ami le préfet?

Lord Estair secoua la tête.

— Plus grand que le préfet. Un homme dont la parole a fait et fera encore loi en Belgique! A qui l'Angleterre est liée par le serment le plus sacré.

Poirot fit de la main un salut théâtral.

— Alors, je m'incline, messieurs, vous pouvez être sûrs que moi, Hercule Poirot, je vous servirai fidèlement. Fasse seulement le ciel qu'il soit encore temps... Mais c'est tout de même bien obscur. Je n'arrive pas à y voir.

— Alors, Poirot, m'écriai-je, impatiemment, comme la porte se fermait derrière les visiteurs, qu'en pensez-vous?

Mon ami préparait déjà, de ses gestes rapides et précis, la minuscule valise qui le suivait partout. Il secoua précipitamment la tête.

— Je ne sais que penser. Mes idées s'embrouillent.

— Pourquoi, comme vous le disiez, le faire disparaître, quand un bon coup sur la tête aurait eu le
même effet? m'étonnai-je.

— Je m'en tiens à ce que j'ai dit. Il était certainement beaucoup plus intéressant pour eux de l'enlever.

— Mais pourquoi?

— Parce que l'incertitude crée la panique, et c'est
une bonne raison. Si le Premier Ministre était mort,
ce serait une terrible calamité, mais il faudrait faire
face à la situation. Tandis que maintenant on est
paralysé. Le Premier Ministre va-t-il reparaître ou
non? Est-il mort ou vivant? Tout le monde l'ignore;
et jusqu'à ce qu'on le sache, on ne sait que faire. Et,
comme je vous l'expliquais, l'incertitude engendre la
panique, et c'est précisément ce que recherchent les
Allemands. Et puis, si ses ravisseurs le cachent
quelque part ils auront l'avantage de poser leurs
conditions aux deux parties. Le gouvernement alle-
mand n'est généralement pas un payeur généreux.
Mais quelle bonne occasion de lui faire cracher de
fortes sommes! Enfin, n'attentant pas à sa vie, ils ne
courent pas le risque d'être pendus. Oh! Décidément,
cet enlèvement est bien leur affaire.

— Mais alors, pourquoi auraient-ils d'abord
essayé de le tuer?

Poirot fit un geste d'impatience.

— Voilà, c'est justement ce que je ne comprends
pas. C'est inexplicable, absurde. Ils ont pris toutes
leurs dispositions et d'excellentes pour l'enlèvement,
et cependant ils courent le risque de compromettre
toute l'affaire par une attaque mélodramatique digne
du cinéma, et aussi invraisemblable. Il est presque

impossible de croire à cette bande d'hommes armés, à moins de vingt miles de Londres!

— Peut-être s'agit-il de deux tentatives sans aucun rapport entre elles? suggérai-je.

— La coïncidence serait trop forte! Et puis, il y a une autre question : qui est le traître? Il faut qu'il y en ait un, dans la première affaire, dans tous les cas. Mais, est-ce Daniels ou O'Murphy? Ce ne peut être que l'un des deux, ou alors, pourquoi la voiture aurait-elle abandonné la route nationale? Nous ne pouvons tout de même pas supposer que le Premier Ministre ait voulu participer à son propre assassinat? Mais O'Murphy a-t-il pris ce tournant sur sa propre inspiration ou sur le commandement de Daniels?

— Sûrement O'Murphy est le traître.

— Oui, parce que si c'était Daniels, le Premier Ministre aurait entendu l'ordre et en aurait demandé la raison. Mais il y a beaucoup de « pourquoi » dans cette affaire, et ils se contredisent. Si O'Murphy est un homme honnête, pourquoi a-t-il laissé la grand-route? Et s'il est coupable, pourquoi a-t-il remis l'auto en marche après la deuxième balle, sauvant ainsi, selon toute probabilité, la vie du Premier Ministre? Et de plus, s'il est honnête, pourquoi tout de suite après avoir quitté Charing Cross, alla-t-il à un rendez-vous bien connu d'espions allemands?

— Tout cela est bien embrouillé, dis-je.

— Examinons le cas avec méthode. Quelles données avons-nous pour ou contre ces deux hommes? Prenons d'abord O'Murphy. Contre : sa conduite au moment où il quitte la grand-route est douteuse; il est irlandais et habite County Clarc; il disparaît d'une manière assez significative... Pour : sa prompti-

tude à lancer l'auto a sauvé la vie du Premier
Ministre; il est agent du Scotland Yard, et, si nous
considérons la mission qu'on lui confie, regardé
comme un détective sûr. Et maintenant, Daniels.
Nous n'avons rien contre lui, excepté le fait que nous
ne savons rien de ses antécédents, et qu'il parle trop
de langues pour un bon Anglais (excusez-moi, mon
ami, mais comme linguistes, vous êtes déplorables!).
Maintenant, en sa faveur, nous avons le fait qu'il fut
découvert ligoté, bâillonné et chloroformé, ce qui ne
semble pas prouver qu'il n'eut rien à voir avec cette
affaire.

— Il peut s'être attaché lui-même pour écarter les
soupçons.

Poirot secoua la tête :

— La police française n'aurait pas commis une
erreur de cette taille. De plus, une fois son but
atteint, et le Premier Ministre subtilisé et en sûreté, il
n'avait aucune raison de rester en arrière. Il est
possible, naturellement, que ses complices l'aient
attaché et chloroformé; mais je n'arrive pas à voir
dans quel but. Il ne peut plus leur être d'une grande
utilité; jusqu'à ce que les circonstances de l'enlèvement du Premier Ministre soient tirées au clair, il
sera étroitement surveillé.

— Peut-être espérait-il lancer la police sur une
fausse piste?

— Alors, pourquoi ne l'a-t-il pas fait vraiment? Il
dit seulement avoir senti quelque chose dans son nez
et dans sa bouche et c'est tout ce dont il se souvient,
je ne vois pas là de fausse piste, et cela a toute l'apparence de la vérité.

— Eh bien! dis-je en regardant la pendule, je

144

crois bien que nous ferions mieux de partir pour la gare. Vous trouverez peut-être plus d'indices en France.

— C'est possible, mon ami, mais j'en doute. Je trouve incroyable que l'on n'ait pu découvrir le Premier Ministre dans cette région, étroitement limitée, où la difficulté de le cacher doit être énorme. Si la police et l'armée de deux pays n'ont pu le retrouver, comment y parviendrais-je?

A Charing Cross, nous rencontrâmes Mr. Dodge qui nous attendait.

— Voici le détective Barnes, de Scotland Yard, et le major Norman. Ils se tiendront à votre disposition. Je vous souhaite bonne chance. C'est une affaire difficile; mais je n'ai pas perdu espoir. Il faut maintenant que je vous quitte.

Et le Ministre s'éloigna rapidement.

Nous causâmes librement avec le major Norman. Au centre d'un petit groupe, sur le quai, je reconnus un personnage de petite taille, à tête de fouine, qui parlait avec un homme grand et blond. C'était une vieille connaissance de Poirot, l'inspecteur Japp, réputé comme l'un des officiers les plus élégants de Scotland Yard. Il s'avança et salua joyeusement mon ami.

— J'ai entendu dire que vous vous occupiez aussi de cette affaire. Un beau travail sur la planche. Parfait tant qu'ils peuvent filer avec leur butin. Mais je ne peux croire qu'ils arrivent à le dissimuler longtemps. Nos agents sillonnent la France dans tous les sens, et les Français en font autant. Je ne peux m'empêcher de penser que ce n'est plus qu'une question d'heures.

— Oui, s'il est encore vivant, remarqua sombrement l'autre détective.

Le visage de Japp s'obscurcit.

— Sans doute, mais cependant, j'ai le pressentiment qu'il est en parfaite santé.

Poirot approuva de la tête.

— Oui, oui, il est vivant, mais pourra-t-on le retrouver à temps? Comme vous, je ne pensais pas qu'on pût le tenir si longtemps caché.

Le train siffla et nous montâmes dans le pullman. Un léger sursaut, un glissement doux et le train sortit de la gare.

Ce fut un curieux voyage. Les agents de Scotland Yard s'étaient groupés. Ils déplièrent des cartes du nord de la France et suivirent de leurs doigts nerveux les lignes des routes et le tracé des villages. Chacun avait sa théorie personnelle. Poirot ne parlait pas; il restait assis les yeux fixes; l'expression de son visage me fit penser à celle d'un enfant cherchant la solution d'un problème difficile. Je causais avec Norman, et ses idées me parurent originales. En arrivant à Douvres, Poirot se comporta de la façon la plus amusante : le petit homme, en montant dans le bateau, s'accrocha désespérément à mon bras. Un vent furieux soufflait.

— Mon Dieu, murmura-t-il, c'est terrible.

— Courage, Poirot, m'écriai-je : vous réussirez à le retrouver, j'en suis sûr.

— Ah! Mon ami, vous vous méprenez sur la cause de mon émotion. C'est cette mer agitée qui me fait peur. Le mal de mer, songez donc! C'est une horrible souffrance!

— Ah! dis-je assez déconcerté.

Aux premières secousses du bateau, Poirot ferma les yeux en gémissant.

— Le major Norman possède une carte du nord de la France, si vous voulez l'étudier?

Poirot secoua impatiemment la tête.

— Mais non, mais non, laissez-moi, mon ami. Voyez-vous, pour réfléchir, il faut avoir l'estomac et le cerveau en équilibre. Laverguier a une méthode merveilleuse pour prévenir le mal de mer : vous inspirez, puis vous expirez doucement, comme ça, en tournant la tête de gauche à droite et en comptant jusqu'à six entre chaque opération.

Je l'abandonnai à ses exercices de gymnastique et je montai sur le pont.

Comme nous entrions dans le port de Boulogne, nous vîmes apparaître Poirot net et souriant. Il m'annonça à l'oreille que le système de Laverguier avait merveilleusement réussi.

Japp continuait à tracer du doigt des routes imaginaires sur la carte.

— Inutile! L'auto est partie de Boulogne. Là, elle a pris l'embranchement; maintenant, mon idée, c'est qu'ils ont transporté le Premier Ministre dans une autre voiture, vous comprenez?

— Eh bien! Moi, dit l'autre détective, je vais visiter les ports de mer. Je vous parie tout ce que vous voudrez qu'ils l'ont embarqué sur un bateau.

— On y a pensé. On a immédiatement donné l'ordre de fermer tous les ports.

Le jour se levait à peine quand nous touchâmes terre. Le major Norman saisit le bras de Poirot.

— Il y a là une auto militaire qui vous attend, monsieur.

— Merci beaucoup, monsieur : mais, pour le moment, je n'ai pas l'intention de quitter Boulogne.

— Comment?

— Nous allons entrer dans cet hôtel sur le quai.

Il y alla, demanda une chambre particulière. Nous le suivîmes tous les trois sans rien comprendre. Il nous lança un coup d'œil rapide.

— Ce n'est pas ainsi qu'agit un bon détective, n'est-ce pas? Je saisis votre pensée : il doit être plein d'énergie, se précipiter s'il le faut à droite et à gauche, se coucher à plat ventre sur la route et chercher dans la poussière les traces des pneus avec une loupe. Il doit recueillir le bout de cigarette et l'allumette brûlée?

Ses yeux nous provoquaient.

— Mais moi, Hercule Poirot, je vous dis que tout cela ne signifie rien. La solution véritable se trouve là-dedans.

Il se toucha le front.

— Voyez-vous, je n'aurais pas dû quitter Londres. Il me suffisait de demeurer tranquillement assis dans mon bureau. Tout ce qui importe, c'est le travail des petites cellules grises. Elles le font silencieusement et secrètement, jusqu'à ce que, tout à coup, je demande une carte et que je pose mon doigt sur un point, comme ça, en disant : « Le Premier Ministre est là! » Et il y est. Avec de la méthode et de la logique on peut tout! Notre ruée frénétique sur la France est une faute; c'est un jeu de cache-cache puéril. Mais, maintenant, quoiqu'il soit peut-être trop tard, je vais travailler selon la vraie méthode, celle de la réflexion. Silence, mes amis, je vous en prie.

Et, pendant cinq longues heures, le petit homme

demeura assis, sans mouvement. Ses yeux plissés comme ceux d'un chat, devenaient de plus en plus étincelants et plus verts. L'agent de Scotland Yard prenait des airs supérieurs et exaspérés. Le major Norman ne pouvait dissimuler son impatience, et je trouvais moi-même le temps désespérément long.

Finalement, las de mon oisiveté, je me levai et me dirigeai aussi silencieusement que possible vers la fenêtre. L'aventure touchait à la farce. J'étais en moi-même honteux de mon ami. S'il devait échouer, j'aurais préféré que ce fût d'une manière moins ridicule. De la fenêtre, mes yeux se posèrent sur le bateau du soir qui attendait le long du quai, lançant vers le ciel des colonnes de fumée. Tout à coup, la voix de Poirot, tout près de moi, me fit tressaillir.

— Mes amis, allons-nous-en.

Je me retournai. Mon ami m'apparut entièrement transformé. Ses yeux pétillaient d'excitation, sa poitrine se soulevait presque.

— Je n'ai été qu'un imbécile, mes amis! Mais j'y vois clair enfin.

Le major Norman se dirigea en hâte vers la porte.

— Je vais commander la voiture.

— Ce n'est pas la peine, je ne m'en servirai pas. Grâce au ciel le vent est tombé.

— Voulez-vous dire que vous allez marcher à pied, monsieur?

— Non, mon jeune ami, je ne suis pas saint Pierre. Je préfère traverser la mer en bateau.

— Traverser la mer?

— Oui. Pour travailler avec méthode, il faut commencer par le commencement. Et le commencement de cette affaire était en Angleterre. Voilà pourquoi nous y retournons.

Donc, à trois heures, nous nous retrouvions sur le quai de la gare de Charing Cross. Poirot refusait d'entendre toutes nos remontrances; il ne cessait de répéter que ce n'est point perdre du temps que de commencer par le commencement, seule méthode possible et logique.

Pendant la traversée, il avait eu un entretien à voix basse avec Norman, et ce dernier avait expédié de Douvres un paquet de télégrammes.

Grâce au laisser-passer obtenu par Norman, nous pûmes aller partout où nous le désirions en un temps record. A Londres, une confortable auto de la police nous attendait avec quelques agents en civil; l'un d'eux tendit à mon ami une feuille de papier écrite à la machine. Celui-ci répondit à mon regard interrogateur.

— C'est la liste des postes de secours dans un certain rayon à l'ouest de Londres. Je l'ai demandée télégraphiquement à Douvres.

Nous traversâmes à vive allure les rues de Londres, puis Bath Road, Hammersmith, Chiswick et Brent fort. Je commençais à comprendre où nous allions en venir. Après avoir passé Windsor, nous prîmes la route d'Ascot. Mon cœur se mit à battre. Ascot! L'endroit où vivait l'une des tantes de Daniels. C'est donc lui que nous poursuivions et non O'Murphy.

Nous nous arrêtâmes à la porte d'une jolie villa. Poirot bondit hors de l'auto et frappa à la porte. Je vis un froncement de sourcils obscurcir son visage radieux. Il n'était évidemment pas satisfait. On vint ouvrir, et il fut introduit. Quelques minutes plus tard, il ressortit et remonta dans l'auto en esquissant un hochement de tête. Il était alors quatre heures et demi. Que serait le profit s'il arrivait à trouver le coupable ? A moins de lui faire avouer l'endroit exact où l'on retenait en France le Premier Ministre ? Notre voyage vers Londres fut souvent interrompu. Il nous arriva plus d'une fois d'abandonner la grand-route et de nous arrêter auprès d'une petite chaumière dans laquelle il n'était pas difficile de reconnaître un poste de secours. Poirot ne s'arrêtait que quelques minutes, mais son assurance devenait plus évidente à chaque halte. Il dit quelque chose à l'oreille de Norman et celui-ci répondit :

— Oui, tournez à gauche, vous allez trouver, il vous attend sur le pont.

Nous prîmes un chemin montant, et, dans la lumière qui baissait, je pus discerner une seconde voiture arrêtée sur le bord de la route. Deux hommes en civil étaient là. Poirot descendit leur parler, puis nous repartîmes vers le nord suivis de près par l'autre auto. Nous nous dirigions évidemment vers l'une des banlieues au nord de Londres. Finalement, nous nous arrêtâmes devant le portail d'une grande maison bâtie un peu en retrait de la route, au milieu d'une cour. Norman et moi, nous fûmes laissés dans l'auto, Poirot et l'un des détectives sonnèrent à la porte. Une femme de chambre à la mise nette vint ouvrir. Le détective parla :

— Je suis officier de police, et j'ai ordre de fouiller cette maison.

La jeune fille poussa un petit cri, et une femme

grande et belle, d'un âge moyen, apparut derrière elle, dans le hall.

— Fermez la porte, Édith, ce sont peut-être des voleurs.

Mais Poirot bloqua rapidement la porte avec le pied et lança en même temps un coup de sifflet. Les autres détectives accoururent et se précipitèrent dans la maison, en fermant la porte derrière eux.

Norman et moi passâmes à peu près cinq minutes à maudire notre inaction forcée. La porte s'ouvrit enfin et les agents parurent, escortant trois prisonniers : une femme et deux hommes. La femme et l'un des hommes furent conduits dans la seconde automobile. L'autre fut placé dans notre voiture par Poirot lui-même.

— Il faut que j'aille avec les autres, mon ami. Mais prenez bien soin de ce monsieur. Vous ne le connaissez pas? Eh bien! permettez-moi de vous présenter Mr. O'Murphy.

O'Murphy! Je le considérai bouche bée, tandis que nous démarrions. Il ne portait pas de menottes, mais j'étais convaincu qu'il n'essaierait pas de s'échapper. Il regardait fixement en face de lui, comme saisi de vertige. S'il avait eu envie de fuir, Norman et moi étions là pour le retenir.

A ma grande surprise, l'auto prit encore une route vers le nord. Nous ne retournions donc pas à Londres? Je ne comprenais plus. Bientôt je reconnus que nous étions près de l'aérodrome de Hendon. Je saisis immédiatement le dessein de Poirot. Il voulait atteindre la France par avion.

C'était une idée très hardie, mais irréalisable. Un télégramme serait beaucoup plus rapide, et la question était d'arriver à temps. Il devait laisser à d'autres la gloire de délivrer le Premier Ministre.

Nous étions à peine arrêtés que le major Norman sautait de l'auto et qu'un homme en civil prenait sa place. Il échangea quelques mots avec Poirot, puis sortit rapidement.

Je sautai moi aussi de l'auto, et je saisis Poirot par le bras :

— Je vous félicite, mon vieux! Ils vous ont dit où ils le cachaient? Mais, écoutez-moi, télégraphiez immédiatement en France. Vous arriverez trop tard si vous y allez vous-même.

Poirot me considéra avec stupéfaction une minute ou deux.

— Malheureusement, mon ami, il y a des choses qu'on ne peut pas envoyer par télégramme.

A ce moment, le major Norman revint accompagné d'un jeune officier en uniforme d'aviateur.

— Voici le capitaine Lyall, qui va vous conduire en France. Il peut partir tout de suite.

— Couvrez-vous chaudement, monsieur, dit le jeune pilote. Je peux vous prêter un manteau si vous le désirez.

Poirot consulta son énorme montre. Il murmura :

— Oui, il est temps, mais bien juste.

Il releva la tête, s'inclina poliment devant le jeune officier.

— Je vous remercie, monsieur, mais ce n'est pas moi qui suis votre passager, c'est ce monsieur.

Il s'écarta en parlant, et une silhouette sortit de l'obscurité. Je reconnus le prisonnier de la seconde auto, quand la lumière tomba sur son visage, j'eus un mouvement de stupéfaction : *c'était le Premier Ministre!*

— Pour l'amour du ciel, racontez-moi tout, m'écriai-je impatiemment, quand Poirot, Norman et moi fûmes dans l'auto qui nous ramenait à Londres.

— Comment diable ont-ils pu se débrouiller pour le ramener en Angleterre?

— Ils n'ont pas eu besoin de l'y ramener, répondit Poirot sèchement. Le Premier Ministre n'a jamais quitté l'Angleterre. Il a été enlevé entre Windsor et Londres.

— Quoi?

— Je vais tout vous expliquer. Le Premier Ministre était dans son auto avec son secrétaire derrière lui. Soudain, on lui appliqua sur le visage un tampon imbibé de chloroforme.

— Mais qui?

— Le linguiste si fort, le capitaine Daniels. Aussitôt que le Premier Ministre eut perdu connaissance, Daniels saisit le cornet acoustique et ordonna à O'Murphy de tourner à droite; le chauffeur obéit sans méfiance. Quelques mètres après l'embranchement de ce chemin désert se trouve une automobile luxueuse, apparemment en panne. Son chauffeur fit signe à O'Murphy d'arrêter. Celui-ci ralentit. L'étranger s'approche. Daniels se penche à la portière et, probablement à l'aide d'un anesthésique instantané, tel que le chlorure d'éthyle, le tour est joué une seconde fois. En quelques secondes, les deux hommes inanimés sont traînés jusqu'à l'autre voiture, et deux autres leur sont substitués.

— C'est impossible!

— Pas du tout! N'avez-vous jamais vu dans les music-hall des imitations parfaites de gens célèbres? Il n'y a rien de plus simple que de représenter une personnalité en vue, et le Premier Ministre anglais est bien plus facile à imiter que le premier Smith venu. Quant au « double » de O'Murphy, personne ne devait faire attention à lui jusqu'au départ du Premier Ministre, et ensuite, il avait le temps de disparaître. Il va tout droit de Charing Cross au restaurant, où sont réunis ses amis. Il y entre sous les traits de O'Murphy, et en sort tout à fait différent. Et le tour est joué; O'Murphy a disparu, laissant derrière lui une piste suspecte à souhait.

— Mais l'homme qui personnifiait le Premier Ministre a été vu par tout le monde!

— Oui, mais par aucun de ses intimes. Et Daniels le tenait aussi éloigné que possible de la foule. Et, de plus, il avait la tête bandée et l'on aurait pu attribuer au choc qu'il venait de subir du fait de l'attentat, tout ce qui aurait pu paraître anormal dans ses manières. Mr. Mac Adam a la gorge fragile, et ménage toujours sa voix avant un discours important. La duperie était bien facile à maintenir jusqu'à l'arrivée en France. Là, elle deviendrait difficile et même impossible, aussi le Premier Ministre disparaît. La police de votre pays se hâte de traverser la Manche, et personne ne songe à examiner les détails du premier attentat. Pour augmenter l'illusion de l'enlèvement en France, Daniels est chloroformé et ligoté d'une manière convaincante.

— Et l'homme qui jouait le rôle du Premier Ministre?

— Il abandonne son déguisement. Lui et le faux

chauffeur peuvent être arrêtés comme suspects, mais personne ne songe à soupçonner leur vrai rôle dans le drame et l'on ne pourra que les relâcher par manque d'évidence.

— Et le Premier Ministre, où est-il?

— Lui et O'Murphy sont amenés directement chez Mrs. Everard, à Hampstead, la soi-disant tante de Daniels. Elle est en réalité Frau Bertha Ebenthal, recherchée depuis quelque temps par la police. C'est un présent précieux que je viens de faire à la police, pour ne pas parler de Daniels! Ah, c'était un plan habile, mais il comptait sans l'habileté d'Hercule Poirot!

Je pense qu'on peut bien lui pardonner ce moment de vanité.

— A quel moment avez-vous commencé à soupçonner la vérité?

— Quand je me suis mis à travailler selon la vraie méthode : la réflexion! Je n'arrivais pas à faire cadrer cette histoire d'attentat; je vis soudain que son résultat le plus clair était de faire venir le Premier Ministre en France avec un bandeau sur le visage, alors je commençai à comprendre. Mais quand la visite de tous les postes de secours entre Windsor et Londres me révéla que personne répondant à cette description n'y avait été soigné ce matin-là, j'acquis la certitude! Après cela, ce fut un jeu d'enfant pour un esprit tel que le mien!

Le matin suivant, Poirot me montra un télégramme qu'il venait de recevoir. Il ne portait ni nom de ville, ni signature mais disait seulement :

« A temps. »

Quelques heures plus tard, les journaux du soir publiaient un compte rendu de la conférence des Alliés. Ils insistaient sur l'importance de la magnifique ovation faite à Mr. David Mac Adam, dont le discours éloquent avait produit une impression profonde que l'on sentait durable.

LE CRIME
DE REGENT'S COURT

Poirot et moi avions, parmi nos amis, le Dr Hawker, un de nos voisins, personnalité très en vue du monde médical. Ce cher docteur avait l'habitude de venir bavarder avec Poirot après le dîner.

Un soir du début de juin, il arriva vers huit heures et demie et entama immédiatement une discussion sur la fréquence des empoisonnements par l'arsenic.

Il y avait à peine un quart d'heure qu'il était là lorsque la porte de notre salon s'ouvrit brusquement, et une femme qui paraissait affolée se précipita au milieu de la pièce.

— Oh! Docteur, on vous demande...

Je reconnus vite la femme de chambre de Dr Hawker, Miss Rider. Le docteur était célibataire et habitait une vieille maison à quelques mètres de la nôtre. Miss Rider, habituellement calme et réservée, était en ce moment complètement bouleversée.

— Mon Dieu, Miss Rider, qu'y a-t-il?

— Le téléphone... docteur. J'ai répondu et une voix disait : « Au secours! » Alors, j'ai demandé : « Qui parle? » On m'a répondu, mais ce n'était plus qu'un souffle de voix. Je ne compris que Foscatine, quelque chose comme cela, Regent's Court.

Le docteur ne put contenir sa surprise :

— Le comte Foscatini a un appartement à Regent's Court. Il faut que j'y aille tout de suite. Qu'a-t-il bien pu lui arriver?

— Un de vos clients? demanda Poirot.

— Je l'ai soigné il y a quelque temps pour une légère indisposition. C'est un Italien, mais il parle couramment l'anglais. Je suis obligé de vous quitter, monsieur Poirot, à moins que...

Il hésita.

— Je devine ce que vous voulez, dit Poirot en souriant. Je serai ravi de vous accompagner. Hastings, descendez arrêter un taxi.

Quelques secondes plus tard, nous roulions dans la direction de Regent's Court. Il y avait là un bloc de maisons récemment construites, et les appartements étaient pourvus des installations les plus perfectionnées.

Il n'y avait personne dans le hall lorsque nous entrâmes. Le docteur appela l'ascenseur et questionna le groom d'une voix impatiente.

— Appartement II. Comte Foscatini. Il vient d'y avoir un accident, je crois.

Le garçon le fixa, étonné.

— Première nouvelle! Mr. Graves, le valet de chambre du comte Foscatini, est sorti il y a à peu près une demi-heure, et il n'a rien dit.

— Le comte est-il seul chez lui?

— Non, deux messieurs dînent avec lui.

— Comment sont-ils? demandai-je.

— Je ne les ai pas vus moi-même, monsieur, mais je crois que ce sont des étrangers.

L'ascenseur arrivait au deuxième étage, et nous

nous trouvâmes juste en face du numéro II. Le docteur sonna. Pas de réponse, et on n'entendait aucun bruit. Il resonna plusieurs fois sans obtenir aucun résultat.

— Cela devient sérieux, murmura-t-il.

Puis, se tournant vers le groom :

— Avez-vous une clef de cette porte?

— Il y en a une dans le bureau du portier, en bas.

— Allez la chercher, et je crois aussi que vous feriez bien d'appeler la police.

Le groom revint bientôt accompagné du directeur de l'établissement.

— Pourriez-vous me dire ce qu'il se passe, messieurs?

— Certainement, répondit le docteur. J'ai reçu un coup de téléphone du comte Foscatini me disant qu'il était attaqué et il m'appelait à son secours.

Le directeur ouvrit la porte et nous entrâmes tous dans l'appartement. Nous traversâmes d'abord une antichambre. Sur la droite, une porte était ouverte.

— La salle à manger, nous dit le directeur.

Le Dr Hawker entra le premier. Nous le suivions pas à pas. En pénétrant dans la pièce, je ne pus retenir une exclamation. Au milieu de la table se trouvaient les restes d'un repas, trois chaises en avaient été écartées comme si les occupants venaient juste de se lever.

Dans un coin, à droite de la cheminée, un homme était assis devant un bureau.

Sa main droite tenait encore le téléphone, mais un coup frappé derrière la tête l'avaient renversé sur le bureau; à côté de lui, une statuette de marbre tachée de sang à la base.

160

En une minute, le docteur comprit qu'il n'y avait plus rien à tenter.

— La mort a dû être instantanée, dit-il. Je me demande même comment il a pu téléphoner. Il ne faut toucher à rien avant l'arrivée de la police, surtout.

Nous commençâmes à examiner chaque pièce de l'appartement mais il n'y avait personne. Lorsque nous revînmes dans la salle à manger, Poirot qui ne nous avait pas suivis était en train d'étudier avec grande attention le centre de la table... Un vase de roses le décorait. Il y restait un compotier de fruits, mais les trois assiettes à dessert étaient propres; sur trois tasses à café, deux portaient des traces de café noir, et l'autre de café crème. Les trois hommes avaient bu du marc, car le carafon était à moitié plein. L'un d'eux avait fumé un cigare, les deux autres des cigarettes.

Je remarquai tous ces faits, mais fus obligé de reconnaître qu'ils n'éclairaient pas la situation. J'étais curieux de savoir ce que Poirot pouvait bien y chercher pour être si absorbé. Je le lui demandai.

— Mon ami, répliqua-t-il, vous n'y comprenez rien. Je cherche quelque chose que je ne vois pas.

— Quoi?

— Une faute, une toute petite faute même, commise par l'assassin.

Il alla dans la cuisine, tourna la tête de tous côtés, mais ne parut pas avoir trouvé ce qu'il cherchait.

— Monsieur, dit-il au directeur, voulez-vous avoir l'obligeance de m'expliquer comment on sert les repas ici?

— Ceci est le monte-charge, voyez-vous, expliqua-t-il; il fonctionne depuis la cuisine jusqu'au dernier étage de la maison. Vous commandez par téléphone, et on vous envoie les plats par le monte-charge les uns après les autres. La vaisselle sale est redescendue par le même système. Ainsi, vous n'avez aucun souci, et c'est plus agréable que de dîner tous les jours dans un restaurant.

Poirot approuva.

— Ainsi, les assiettes et les plats qui ont servi ici ce soir sont à la cuisine maintenant? Puis-je descendre?

— Oh! Certainement. Roberts, le garçon va vous y conduire.

Ensemble, nous visitâmes les cuisines et nous questionnâmes l'homme qui avait pris les ordres de l'appartement II.

— L'ordre fut donné pour trois, d'après la carte, expliqua-t-il. Soupe Julienne, filet de sole normande, tournedos, soufflé de riz.

— A quelle heure?

— Environ vers huit heures, dit-il. Je crains que la vaisselle ne soit lavée maintenant. Vous pensiez trouver des empreintes digitales, je suppose?

— Pas précisément, dit Poirot, avec un sourire énigmatique. Je serais beaucoup plus intéressé par l'appétit du comte et de ses invités.

— Oui, mais il m'est impossible de vous dire exactement quelle quantité ils ont consommée. Toutes les assiettes étaient sales et les plats vides, excepté celui du soufflé au riz. Il en restait beaucoup.

— Ah! Ah! dit Poirot d'un air satisfait.

Comme nous remontions à l'appartement, Poirot me murmura à l'oreille :

— Nous avons affaire à un homme méticuleux.

— Parlez-vous de l'assassin ou du comte?

— Le comte était sans aucun doute un homme soigneux. Après avoir appelé au secours, il raccrocha le téléphone.

Je fixai Poirot étonné.

— Vous supposez qu'il est mort empoisonné? murmurai-je. Le coup sur la tête n'aurait été qu'un simulacre?

Poirot sourit finalement.

L'inspecteur et deux policiers étaient arrivés, lorsque nous fûmes de retour. Poirot eut besoin de se recommander de son ami l'inspecteur Japp, de Scotland Yard, pour qu'il nous soit permis à nouveau d'entrer dans l'appartement.

Heureusement que nous étions là, car cinq minutes plus tard un homme bouleversé se précipita dans la pièce.

C'était Graves, le valet de chambre du comte Foscatini. Il nous raconta que la veille au matin, deux messieurs avaient rendu visite à son maître, c'étaient des Italiens; le plus vieux des deux, un homme d'une quarantaine d'années, se nommait signor Ascanio, le plus jeune était un élégant jeune homme de vingt-quatre à vingt-cinq ans.

Le comte Foscatini attendait leur visite et, dès leur arrivée, envoya Graves faire quelques courses. A cet endroit de son récit, le valet de chambre parut hésiter. Il avoua à la fin, que cette visite l'ayant intrigué, il n'avait pas obéi tout de suite à son maître et était resté pour écouter à la porte.

Les trois hommes parlaient très bas, mais il put comprendre cependant qu'il était question d'argent et de menaces. La discussion semblait assez aigre-douce.

A la fin, le comte Foscatini éleva la voix et Graves entendit ces mots :

— Je n'ai pas le temps de discuter plus longtemps, messieurs. Si vous voulez venir dîner avec moi demain soir, nous reprendrons cette discussion.

De peur d'être découvert, Graves n'attendit pas plus longtemps.

Ce soir, les deux hommes arrivèrent à huit heures... Durant le dîner, la conversation ne roula que sur des choses insignifiantes. Quand Graves eut apporté le café et la fine, son maître lui dit qu'il pouvait sortir.

— Est-ce que cela était dans ses habitudes de vous renvoyer quand il avait des invités ? demanda l'inspecteur.

— Non, monsieur. Cela me fit penser qu'il devait avoir à parler d'affaires sérieuses avec ces messieurs.

Cela termina le récit de Graves. Il sortit vers huit heures et demie, et, ayant rencontré un ami, il alla avec lui au concert.

Personne n'avait vu partir les deux hommes, mais on pouvait fixer l'heure du meurtre à huit heures quarante-sept. La petite pendule de bureau avait été renversée par le bras de Foscatini et s'était arrêtée à cette heure qui concordait parfaitement avec le coup de téléphone reçu par Miss Rider.

Le médecin légiste, après avoir examiné le corps, le fit porter sur le lit.

— Bien, dit l'inspecteur en rangeant son carnet de notes. L'affaire me paraît claire, la seule difficulté sera de mettre la main sur le signor Ascanio. Je ne pense pas que son adresse soit notée sur un carnet ?

Ainsi que Poirot le jugeait, le comte Foscatini était un homme méthodique. Sur le carnet, écrit d'une

164

main ferme, on lisait : « Signor Paolo Ascanio, Grosvenor Hôtel. »

L'inspecteur courut au téléphone, puis se retourna vers nous.

— Nous arrivons juste à temps, ce beau monsieur allait justement partir pour le continent. Bien, messieurs, c'est tout ce que nous pouvons faire ici. C'est une triste affaire qui paraît assez nette.

En redescendant le Dᵣ Hawker semblait très surexcité.

— C'est le commencement d'un roman, dit-il, on ne le croirait pas si on le lisait.

Poirot ne disait rien. Il restait songeur, ayant à peine parlé durant la soirée.

— Qu'en pense le maître détective? demanda le Dᵣ Hawker en lui frappant dans le dos. Vous n'avez plus rien à découvrir, sans doute?

— Qu'en savez-vous?

— Que serait-ce?

— Eh bien! Par exemple, il y a la fenêtre.

— La fenêtre? répondit le docteur, elle était fermée.

— Et par quoi avez-vous pu remarquer cela?

Le docteur parut troublé.

Poirot se hâta d'expliquer :

— C'est des rideaux que je veux parler, ils n'étaient pas tirés. C'est un peu bizarre... Puis, il y a le café, du café très noir.

— Et alors?

— Très noir, répéta Poirot. Souvenez-vous qu'il fut mangé très peu de soufflé au riz.

— Oui, mais je ne vois pas où vous voulez en venir, avouai-je.

165

— Vous ne suspectez pas le valet de chambre? Il aurait pu faire partie de la bande et mettre du poison dans le café. Je suppose qu'on vérifiera son alibi?

— Sans doute, mon ami, mais c'est l'alibi du signor Ascanio qui m'intéresse.

— Vous pensez qu'il a un alibi?

— C'est ce qui me tracasse, mais nous aurons bientôt des éclaircissements.

Le signor Ascanio fut arrêté et accusé du meurtre du comte Foscatini.

Après son arrestation, il affirma qu'il ne connaissait pas le comte, et qu'il n'avait jamais été à Regent's Court, pas plus le soir du crime que le matin précédent. Le jeune homme qui, soi-disant, l'accompagnait avait complètement disparu. Signor Ascanio était arrivé seul au Grosvenor, venant du continent, deux jours avant le meurtre. Tous les efforts pour retrouver le jeune homme demeurèrent vains.

Cependant, Ascanio ne fut pas jugé. L'ambassadeur d'Italie, lui-même, vint déclarer à la police qu'Ascanio se trouvait avec lui à l'ambassade le soir du drame, de huit heures à neuf heures. Le prisonnier fut donc relâché. Naturellement, beaucoup de personnes pensèrent qu'on était en présence d'un crime politique, et qu'on l'étouffait volontairement.

Poirot s'était beaucoup intéressé à cette affaire. Néanmoins, qu'elle ne fut pas ma surprise lorsqu'il me dit un matin qu'il attendait quelqu'un à onze heures, et que cette personne n'était autre qu'Ascanio lui-même...

— Il veut vous voir? demandai-je.

— Du tout, Hastings. C'est moi qui veux lui parler.

— A quel sujet?

— Du meurtre de Regent's Court.

— Vous allez lui prouver qu'il est coupable?

— Un homme ne peut pas être jugé deux fois, Hastings. Essayez donc d'avoir un peu de bon sens. Ah! Voilà le coup de sonnette de notre ami.

Quelques minutes plus tard, signor Ascanio entrait; c'était un homme mince et de petite taille. Il nous lança à tous deux des regards suspects.

— Monsieur Poirot?

Mon ami l'accueillit aimablement.

— Asseyez-vous, monsieur. Vous avez reçu ma lettre, n'est-ce pas? J'ai résolu d'aller jusqu'au bout de cette affaire. Commençons : en compagnie d'un ami, vous êtes allé voir le comte Foscatini le mardi matin.

L'Italien eut un mouvement de colère.

— Jamais de la vie. Je l'ai d'ailleurs juré au tribunal.

— Je le sais, mais j'ai dans l'idée que vous avez menti.

— Vous me menacez?

— Il vaut mieux que vous soyez franc avec moi. Je ne vous demande pas ce qui vous a amené en Angleterre. Je sais déjà que vous êtes venu uniquement pour voir le comte Foscatini.

— Il n'était pas comte, grogna l'Italien.

— J'ai déjà remarqué que son nom ne figurait pas au Gotha.

— Je vois que vous êtes bien renseigné, il ne me reste plus qu'à vous parler franchement. Oui, je suis allé chez Foscatini le mardi matin, mais pas le soir de sa mort. Je n'avais plus besoin de le voir, je vais vous expliquer : Foscatini était un maître chanteur; certains papiers concernant un homme très haut placé en

Italie se trouvaient en sa possession. Il demandait une grosse somme d'argent pour les restituer. Je suis venu en Angleterre pour arranger l'affaire. J'avais rendez-vous avec lui ce matin-là. Un jeune secrétaire d'ambassade m'accompagnait. Le comte fut beaucoup plus sociable que je ne l'avais prévu. Mais la somme que je lui ai payée était énorme.

— Pardon, comment l'avez-vous payée cette somme?

— En petits billets de banque italiens. Je lui ai donné l'argent de la main à la main, et il m'a rendu les papiers. Je ne l'ai pas revu depuis.

— Pourquoi n'avez-vous pas dit cela lors de votre arrestation?

— J'étais dans une situation si délicate qu'il m'était impossible d'avouer connaître cet homme.

— Et comment alors, expliquez-vous ce qui s'est passé le soir du meurtre?

— Tout ce que je peux penser, c'est que quelqu'un s'est présenté sous mon nom. D'après ce que j'ai compris, on n'a pas trouvé d'argent dans l'appartement.

Poirot le regarda et secoua la tête.

— Je vous crois, signor Ascanio, votre récit concorde presque avec ce que j'avais supposé, mais je voulais m'en assurer. Au revoir, monsieur.

Après avoir reconduit son visiteur, Poirot revint s'asseoir en riant.

— Eh bien! Capitaine Hastings, qu'en pensez-vous?

— Je suppose qu'Ascanio a raison, quelqu'un s'est présenté sous son nom.

— Non, non, vous n'avez pas encore assez d'esprit.

Rappelez-vous les paroles que j'ai prononcées en quittant l'appartement du mort. J'ai parlé des rideaux qui n'étaient pas tirés. Nous étions au mois de juin. Il fait encore jour à huit heures. Le jour baisse à la demie. Ça vous dit quelque chose? Et puis le café, je l'ai dit, était très noir. Les dents du comte Foscatini étaient merveilleusement blanches. Mais le café tache les dents. Nous en concluons que le comte Foscatini n'avait pas bu de café. Et cependant, il restait des traces de café dans les trois tasses. Pourquoi donc quelqu'un aurait-il voulu croire que le comte Foscatini en avait bu, quand il n'en était rien?

Je secouai la tête, complètement ahuri.

— Allons, je vais vous aider. Qu'est-ce qui me prouve que le signor Ascanio et son compagnon sont venus à l'appartement de Foscatini le soir de sa mort? Personne ne les a vus entrer, personne ne les a vus sortir. Nous n'avons pour preuve que la présence d'une foule d'objets inanimés...

— Vous voulez dire?

— Je veux dire les couteaux, les fourchettes, les assiettes et les plats vides. Ah! Mais c'est très malin. Graves est un voleur mais un homme prévoyant. Il entend assez de la conversation le matin pour comprendre qu'il sera difficile à Ascanio de se défendre. Le soir suivant, il dit à son maître qu'on le demande au téléphone. Foscatini s'assoit, prend le téléphone et, pendant ce temps, Graves le frappe violemment à la tête avec la statuette de marbre. Puis, il commande le dîner pour trois. Quand les plats arrivent, il met le couvert, salit les assiettes, les couverts, etc. Mais il faut qu'il se débarrasse de la nourriture — il n'a pas seulement de la tête, il a un fort appétit. Mais après le tournedos, le soufflé de riz est trop gros pour lui. Il fume même un cigare et deux cigarettes. Vous voyez, c'était bien combiné. Après avoir mis les aiguilles de la pendulette sur 8 h 47, il l'arrête et la renverse. Il a simplement oublié de tirer les rideaux. Si Foscatini avait réellement donné un dîner, les rideaux auraient été tirés une fois la nuit venue. Ensuite, il sort, dit au garçon de l'ascenseur que son maître a des invités. Il se hâte vers une cabine téléphonique, vers 8 h 47, il appelle le docteur en imitant le cri de mort de son maître. On crut tellement en lui qu'on ne pensa jamais à demander si l'appel téléphonique venait bien de l'appartement II à cette heure-là !

Il fut prouvé, naturellement, comme toujours, que Poirot avait raison !

L'ÉNIGME DU TESTAMENT
DE Mr MARSH

Le problème que nous soumit miss Violet Marsh
nous changea agréablement de notre travail habituel.
Le détective Poirot, ayant reçu de cette personne une
brève missive demandant un rendez-vous, répondit
qu'il l'attendrait le lendemain matin à onze heures.

Elle fut ponctuelle : une belle grande jeune femme
vêtue simplement mais avec goût, l'air franc et déter-
miné. Quelqu'un qui, visiblement, avait l'intention de
réussir dans la vie. Personnellement je ne suis pas
grand admirateur de ce qu'on appelle la « Nouvelle
Femme », et malgré une apparence plaidant en sa
faveur, je n'étais pas particulièrement enclin à trouver sympathique miss Marsh.

— Mon affaire est d'une nature assez spéciale,
monsieur Poirot, commença-t-elle. Pour que vous
compreniez, je dois entreprendre un long retour en
arrière.

— Je vous écoute, miss.

— Je suis orpheline. Mon père et son frère étaient
les fils d'un petit propriétaire fermier du Devonshire.
La ferme ne prospérant pas, mon oncle Andrew
émigra pour l'Australie où, à la suite de spéculations

heureuses sur des terrains, il devint très riche. Mon père, par contre, ne se sentait pas attiré par la vie campagnarde. Il réussit à s'instruire un peu et entra dans une petite étude en qualité de clerc. Il épousa la fille d'un artiste pauvre, mais d'un milieu social un peu au-dessus du sien. Mon père mourut lorsque j'avais six ans et ma mère le suivit dans la tombe huit ans plus tard. Il ne me restait que mon oncle Andrew, revenu alors d'Australie, et qui avait acheté une propriété, Crabtree Manor, dans son comté natal. Il fut très bon pour moi, me prit avec lui, me traitant comme sa propre fille.

Crabtree Manor, malgré son nom, n'est en fait qu'une vieille maison de fermier. Mon oncle avait le goût de la campagne dans le sang et s'intéressa à diverses expériences d'exploitations agricoles modernes. Il avait malheureusement des idées préconçues sur tout ce qui touche à l'éducation des femmes. Lui-même d'une instruction très rudimentaire, compensée par un remarquable bon sens, accordait peu de valeur à ce qu'il appelait « les connaissances livresques ». A son avis, les jeunes filles devaient se contenter d'apprendre à devenir des maîtresses de maison accomplies et perdre le moins de temps possible avec les livres. Il me proposa de m'élever suivant ce principe, à mon grand désespoir. Je refusai d'emblée, car je me sentais attirée par l'étude et ne possédais aucun don pour les travaux ménagers. Nous nous disputâmes souvent sur ce sujet, car, bien que très attachés l'un à l'autre, nous étions tous deux des entêtés. J'eus la chance d'obtenir une bourse d'études qui me permit de m'engager dans le chemin que j'avais choisi. Le moment décisif arriva lorsque je décidai de m'inscrire à Girton[1]. Je possédais un peu d'argent laissé par ma mère et j'étais résolue à profiter des dons que Dieu m'avait donnés. J'eus une longue et dernière discussion avec mon oncle qui se montra très franc avec moi. J'étais sa seule parente et il avait l'intention de me faire son héritière. Comme je vous l'ai dit, il était très riche. Si néanmoins je persistais dans mes « résolutions d'un modernisme outré », il était inutile que j'attende quoi que ce soit de lui. Je lui répondis poliment, mais avec fermeté, que je devais décider seule de ma propre vie, ce qui ne m'empêchera pas de lui rester profondément attachée. Nous nous séparâmes après qu'il eut ajouté : « Contentez-vous de votre petite cervelle, ma fille. Je ne suis pas un intellectuel, mais je mesurerai mon savoir au vôtre quand vous le voudrez. Nous verrons bien alors qui avait raison. »

« C'était il y a neuf ans. Je passais parfois mes fins de semaine avec lui et nos rapports restaient parfaitement amicaux, bien que ses vues ne se modifiassent pas. Il ne fit jamais allusion à mes succès : mon entrée à l'université et mes réussites aux différents examens. Au cours des trois dernières années, la santé de mon oncle s'altéra. Il est mort le mois dernier.

« J'en viens à présent au but de ma visite. Mon oncle a laissé un testament des plus extraordinaires d'après lequel Crabtree Manor et son contenu sont à ma disposition durant la première année qui suivra sa mort « année pendant laquelle mon intelligente nièce pourra prouver l'ingéniosité de son esprit »

[1] Collège de Cambrige.

écrit-il. Au terme de cette période, « mon intelligence s'étant montrée supérieure à la sienne », tous les biens iront à différentes institutions charitables.

— C'est là une décision bien sévère, miss, du fait que vous êtes la seule parente de Mr. Marsh.

— Je ne vois pas la chose sous cet angle. Oncle Andrew m'avait prévenue et j'ai choisi d'agir à ma tête. Ayant refusé de me plier à ses désirs, il avait parfaitement le droit de disposer de sa fortune à sa guise.

— Le testament a-t-il été rédigé devant notaire?

— Non, il a été rédigé à la main, par mon oncle et le couple ayant la charge de la maison a signé en qualité de témoin.

— Il est peut-être possible d'attaquer ce testament?

— Je ne voudrais pour rien au monde entreprendre une telle action.

— Vous le considérez comme un défi sportif de la part de votre oncle?

— Exactement.

— Les termes employés permettent certainement cette explication, répondit pensivement Poirot. Je pense que, quelque part, dans ce vieux manoir, plein de coins et de recoins, votre oncle a dissimulé une somme d'argent ou peut-être un second testament et vous a donné un an pour exercer votre perspicacité et le découvrir.

— C'est ce que je crois, monsieur Poirot, et je vous paierai ce que vous voudrez, convaincue que votre astuce sera beaucoup plus grande que la mienne, pour mener à bien cette recherche.

— Eh, eh! Voilà qui est vraiment charmant de

174

votre part. Mes cellules grises sont à votre disposition, miss. Vous n'avez pas encore entrepris de recherches vous-même?

— Superficiellement, rien de plus, mais je respecte trop l'intelligence incontestable de mon oncle pour penser que la tâche sera aisée.

— Avez-vous le texte du testament sur vous?

Miss Marsh lui tendit un document qu'il parcourut des yeux en hochant la tête.

— Rédigé il y a trois ans, portant la date du 25 mars et même l'heure — 11 heures — détail très intéressant qui doit restreindre notre terrain de recherches. Sans aucun doute, il nous faut trouver un autre testament. Écrit, même une demi-heure après celui-ci, il sera le seul valable. Eh bien, miss, c'est un problème attrayant et ingénieux que vous me proposez là. J'aurais plaisir à le résoudre pour vous. En admettant même que votre oncle ait été un adversaire intéressant, ses cellules grises ne pouvaient être de la qualité de celles d'Hercule Poirot!

(Vraiment, la vanité de Poirot devient insupportable.)

— Par bonheur, je n'ai rien à faire pour le moment. Hastings et moi irons à Crabtree Manor ce soir-même. L'homme et la femme qui s'occupaient de votre oncle y sont encore, je présume?

— Oui, leur nom est Baker.

Le lendemain matin, nous commençâmes la chasse proprement dite. Nous étions arrivés au manoir tard dans la soirée et avions été accueillis par les Baker, avertis par télégramme de notre arrivée. Un couple charmant. L'homme sec et noueux, les joues roses et ratatinées; la femme massive et calme comme le sont les natifs du Devonshire.

Fatigués par notre voyage et les huit miles et demi en voiture depuis la gare, nous étions allés nous coucher immédiatement, après avoir soupé d'un poulet rôti et d'une tarte aux pommes accompagnée de crème du Devonshire. Nous venions de terminer un excellent petit déjeuner, installés dans une pièce lambrissée qui avait servi de cabinet de travail et de salon à Mr. Marsh. Un bureau américain chargé de dossiers, tous soigneusement étiquetés, était placé contre un mur et un lourd fauteuil de cuir montrait clairement qu'il avait été le refuge préféré où son propriétaire se reposait. Un divan massif, recouvert d'une housse à fleurs, occupait le mur opposé, et les sièges profonds, placés devant la fenêtre, portaient les mêmes housses aux couleurs délavées.

— Eh bien, mon ami, remarqua Poirot en allumant une de ses minuscules cigarettes, nous devons nous tracer un plan de campagne. J'ai déjà eu un vague aperçu de la maison, mais j'ai l'impression que la piste susceptible de nous intéresser, se trouve dans cette pièce. Il nous faudra parcourir les documents du bureau avec un soin méticuleux. Naturellement, je ne m'attends pas à trouver le testament parmi eux, mais il est possible que quelque papier, apparemment innocent, contienne un indice sur la cachette. Tout d'abord, nous avons besoin d'un petit renseignement. Tirez le cordon de service, je vous prie.

J'obéis. Alors que nous attendions, Poirot marchait de long en large, jetant autour de lui des coups d'œil inquisiteurs.

— Un homme méthodique, ce Mr. Marsh. Admirez comme les piles de papiers sont rangées avec soin et la clef de chaque tiroir a son étiquette d'ivoire ainsi que celle de la vitrine murale. Et voyez avec quelle minutie la porcelaine est disposée à l'intérieur de cette vitrine. Cela réjouit le cœur. Rien ici n'offense le regard...

Il s'arrêta brusquement devant la clef du secrétaire à laquelle une vieille enveloppe était fixée. Poirot fronça les sourcils et retira la clef de la serrure. Sur le papier, les mots « clef du secrétaire américain » étaient griffonnés d'une manière presque illisible et contrastant avec les nettes inscriptions que portaient les autres clefs.

— Une note discordante, souligna Poirot. Je pourrais jurer que nous ne sommes plus en présence d'une initiative de Mr. Marsh. Mais qui d'autre s'est trouvé dans la maison? Seulement miss Marsh... Et elle aussi, si je ne me trompe, est une personne d'ordre et de méthode.

Barker arriva à l'appel.

— Voulez-vous aller chercher Mrs. Barker et répondre à quelques questions?

L'homme disparut et revint un moment plus tard accompagné de son épouse qui, le visage intrigué, s'essuyait les mains à son tablier.

En quelques mots brefs, Poirot expliqua l'objet de sa mission. Les Barker furent immédiatement d'accord.

— On ne veut pas que miss Violet perde ce qui est à elle, déclara la femme. Ce serait injuste de voir le tout aller à des hôpitaux.

Poirot commença son interrogatoire. Oui, Mr. et Mrs. Barker se souvenaient très bien d'avoir signé le testament. Auparavant Barker avait été dépêché au village pour s'y procurer deux formules testamentaires.

— Deux? coupa vivement Poirot.

— Oui, sir, par précaution j'imagine, au cas où il aurait raturé sur la première... Et en fait c'est ce qui est arrivé. On en avait signé une...

— A quelle heure de la journée?

L'homme se gratta le crâne, mais sa femme fut plus prompte.

— Je me souviens très bien. Je venais juste de mettre le lait sur le feu pour le chocolat, à onze heures. Vous ne vous souvenez pas, Jim? Il avait débordé sur le poêle quand on est revenu à la cuisine!

— Et après?

— Ce devait être environ une heure plus tard. Le maître nous a rappelés. « J'ai commis une erreur, qu'il a dit. J'ai dû déchirer le papier. Je vais vous demander de bien vouloir signer à nouveau. » Et on a signé. Après ça, le maître nous a donné une bonne somme d'argent à chacun. « Je ne vous laisse rien dans mon testament, dit-il, mais chaque année, vous en recevrez autant pour vous permettre de vivre de vos rentes quand je serai mort. » Et pour sûr, il a tenu sa promesse.

Poirot réfléchit un moment.

— Après que vous eûtes signé une seconde fois, que fit Mr. Marsh? Vous en souvenez-vous?

— Il est allé au village payer la note des fournisseurs.

Cela ne semblait pas très prometteur. Poirot essaya une autre voie. Il montra la clef du secrétaire :

— Est-ce là l'écriture de votre maître?

Je me trompai peut-être, mais j'eus l'impression que Barker hésita un moment avant de répondre.

— Oui, sir.

« Il ment, pensai-je, mais pourquoi? »

— Votre maître a-t-il loué la maison? Des étrangers sont-ils venus ici au cours de ces trois dernières années?

— Non, sir.

— Pas de visiteurs?

— Seulement miss Violet.

— Personne en dehors d'elle ne s'est trouvé dans cette pièce?

— Non, sir.

— Vous oubliez les ouvriers, Jim, lui rappela sa femme.

— Les ouvriers? lança Poirot. Quels ouvriers?

La domestique expliqua qu'environ deux ans et demi plus tôt, des ouvriers étaient venus pour entreprendre des réparations. Elle ne savait pas exactement de quoi il s'agissait, mais, à son avis, ce n'était rien d'autre qu'un caprice de son maître et tout à fait inutile. La moitié du temps les ouvriers travaillaient dans le bureau, mais ce qu'ils y avaient fait, elle ne pouvait pas le dire car le maître ne les faisait jamais entrer dans la pièce tant que ces hommes y étaient. Malheureusement, ni elle, ni son mari ne se souvenaient du nom de l'entreprise employée, à part qu'elle venait de Plymouth.

— Nous progressons, Hastings, déclara Poirot en se frottant les mains, alors que les Barker se retiraient. Sans aucun doute, Marsh a rédigé un second testament et a appelé les ouvriers de Plymouth pour lui construire une cachette appropriée. Au lieu de perdre notre temps à enlever les lattes du parquet ou frapper les murs, nous allons nous rendre à Plymouth.

Après plusieurs essais infructueux, nous réussîmes à retrouver l'entreprise en question. La firme employait les mêmes ouvriers depuis des années et il fut facile d'interroger les deux qui avaient travaillé sous les ordres de Mr. Marsh. Ils se souvenaient du travail. Parmi diverses tâches sans importance, ils avaient retiré une brique de la vieille cheminée du bureau, creusé une cavité derrière la place occupée par la brique qu'ils avaient arrangée ensuite, de telle sorte qu'il était impossible de la différencier des autres. En pressant cette brique, l'avant-dernière, on découvrait la cavité. Un travail très délicat, pour lequel le vieux gentleman s'était montré très exigeant.

Nous retournâmes à Crabtree à toute allure et fermâmes derrière nous la porte du bureau afin d'expérimenter en toute quiétude. Aucune marque spéciale n'était visible sur la façade de la cheminée et cependant lorsque nous appuyâmes sur la brique indiquée, une sombre cavité apparut immédiatement. Poirot y plongea la main mais son visage exprima brusquement une profonde déception... Il ne trouva rien d'autre qu'un fragment de papier carbonisé !

— Sacré ! lança-t-il furieux. Quelqu'un est venu avant nous !

Nous examinâmes le papier noirci, sans aucun doute l'ultime vestige de ce qui nous intéressait. Seule, une partie de la signature de Barker était encore visible.

Poirot s'accroupit sur ses talons. Si nous n'avions pas été si dépités l'un et l'autre, j'aurais trouvé son expression comique.

— Je ne comprends pas, grogna-t-il, qui a détruit ce testament? Et pour quel motif?

— Les Barker? suggérai-je.

— Pourquoi? Aucun des deux testaments n'est en leur faveur, et ils ont plus de chance de garder leur place avec miss Violet qu'avec l'hôpital qui disposerait de la propriété. Comment la destruction de ce testament pourrait-elle profiter à quelqu'un? Les hôpitaux en tireront avantage, sans aucun doute... Mais on ne peut soupçonner des institutions d'utilité publique.

— Peut-être le vieil homme changea-t-il d'idée et le détruisit-il lui-même?

Poirot se releva en brossant la poussière de ses genoux avec sa minutie habituelle.

— C'est possible, admit-il. Voici une de vos observations les plus sensées, Hastings. Eh bien! Rien ne nous retient plus ici. Nous avons fait tout ce qui est humainement possible de faire. Nous avons réussi à surpasser l'ingéniosité de Mr. Marsh, mais, malheureusement, sa nièce ne s'en trouve pas mieux pour cela.

En retournant sans délai à la gare, nous eûmes juste le temps d'attraper un train omnibus pour Londres. Poirot était d'une humeur maussade. Quant à moi, fatigué, je m'assoupis dans un coin du compartiment. Soudain, au moment où le train quittait la gare de Taunton, Poirot poussa un cri perçant...

— Vite, Hastings! Réveillez-vous et sautez! Sautez donc, je vous dis!

Avant de réaliser ce qui se passait, nous étions sur le quai, nue-tête et sans nos valises, tandis que le train s'éloignait dans la nuit. J'étais furieux, mais Poirot n'y prêta aucune attention.

— Quel imbécile j'ai été! s'exclamait-il. Triple imbécile! Jamais plus je ne vanterai mes petites cellules grises!

— Ce sera au moins une bonne chose, grognai-je de mauvaise humeur. De quoi s'agit-il?

Comme toujours lorsqu'il suivait ses propres pensées, Poirot ne m'écoutait pas.

— Des comptes de fournisseurs... Je les ai complètement négligés. Oui, mais où? Où? Aucune importance, je ne puis me tromper et nous devons retourner de suite.

Plus facile à dire qu'à faire. Nous eûmes cependant la chance de trouver un train qui nous amena à Exeter où Poirot loua une voiture. Nous arrivâmes à Crabtree Manor avant le point du jour. Je passe sous silence la confusion des Barker lorsque nous eûmes finalement réussi à les obliger à se lever. Ne prêtant aucune attention à personne, Poirot se rendit directement dans le bureau.

— Je n'ai pas été trois fois, mais trente-six fois un imbécile, mon ami, daigna-t-il remarquer. A présent, voyez!

Allant droit au secrétaire, il en retira la clef, et détacha l'enveloppe qui y pendait. Je suivis ses gestes d'un œil stupide. Comment pouvait-il bien espérer trouver une longue formule testamentaire dans cette minuscule enveloppe?

Avec d'infinies précautions, Poirot l'ouvrit et la déploya. Puis il alluma le feu et tendit l'intérieur du papier vers la flamme. Au bout de quelques instants des caractères commencèrent à apparaître.

— Regardez, mon ami! s'exclama Poirot triomphant.

— Je regardais. Quelques lignes d'une écriture à peine visible précisaient brièvement qu'Andrew Marsh léguait tous ses biens à sa nièce Violet Marsh. Il y avait la date : 25 mars, et l'heure : 12 h 30. Légalisés par Albert Pike, confiseur et Jessie Pike, sa femme.

— Croyez-vous que c'est valable? soufflai-je.

— Autant que je sache, aucune loi ne s'oppose à ce qu'on écrive son testament en se servant d'encre sympathique. L'intention du testateur est claire et le bénéficiaire est sa seule parente vivante. Mais quelle ingéniosité de sa part!... Il se procura deux formules de testament, demanda aux domestiques de signer à deux reprises, puis se rendit au village avec son testament écrit à l'intérieur d'une vieille enveloppe et un stylo contenant son petit mélange d'encre. Sous un prétexte quelconque, il poussa les confiseurs à apposer leur signature sous la sienne, attacha l'enveloppe à la clef du secrétaire et rit dans sa barbe. Si sa nièce mettait à jour sa petite ruse, elle aura eu raison de se consacrer aux études, et méritera de profiter de son argent.

— Mais elle n'a pas deviné, en vérité, remarquai-je lentement. Ce n'est pas très juste, car c'est bien le vieil homme qui a gagné!

— Mais non, Hastings. Vous faites fausse route. Miss Marsh prouva la finesse de son esprit et ce que l'éducation approfondie donne aux femmes, en remettant tout de suite l'affaire entre mes mains.

Reférez-vous toujours à l'expert. Elle a largement prouvé son droit à l'argent!

Je me demande... Je me demande vraiment ce que le vieux Andrew Marsh en aurait pensé!

TABLE

LES ENQUÊTES D'HERCULE POIROT

L'AVENTURE DE L'ÉTOILE DE L'OUEST
(The adventure of « The Western Star ») 7

LA TRAGÉDIE DE MARDSON MANOR
(The tragedy at Mardson Manor) 38

L'AVENTURE DE L'APPARTEMENT BON
    MARCHÉ
(The adventure of the Cheap Flat) 58

LE MYSTÈRE DE HUNTER'S LODGE
(The mystery of Hunter's Lodge 79

VOL D'UN MILLION DE DOLLARS DE BONS
(The million dollar bond robbery) 95

L'AVENTURE DU TOMBEAU ÉGYPTIEN
(The adventure of the Egyptian Tomb) 109

L'ENLÈVEMENT DU PREMIER MINISTRE
(The kidnapped prime Minister) 130

LE CRIME DE REGENT'S COURT
(The adventure of the Italian Nobleman) 158

L'ÉNIGME DU TESTAMENT DE Mr MARSH
(The case of the missing will) 171

Les Maîtres du Roman Policier

Première des collections policières en France, Le Masque se devait de rééditer les écrivains qu'il a lancés et qui ont fait sa gloire.

ARMSTRONG Charlotte
1740 L'étrange cas des trois sœurs infirmes
1767 L'insoupçonnable Grandison

BEEDING Francis
238 Le numéro gagnant

BIGGERS Earl Derr
1730 Le perroquet chinois

BOILEAU Pierre
252 Le repos de Bacchus
(*Prix du Roman d'Aventures 1938*)
1774 Six crimes sans assassin (*fév. 85*)

BOILEAU-NARCEJAC
1748 L'ombre et la proie

CARR John Dickson
1735 Suicide à l'écossaise

DARTOIS Yves
232 L'horoscope du mort

DOYLE Sir Arthur Conan
1738 Le chien des Baskerville

ENDRÈBE Maurice Bernard
1758 La pire des choses

FAIR A.A.
1745 Bousculez pas le magot
1751 Quitte ou double
1770 Des yeux de chouette (*janv. 85*)

HEYER Georgette
297 Pourquoi tuer un maître d'hôtel ?
484 Noël tragique à Lexham Manor

HUXLEY Elspeth
1764 Safari sans retour

KASTNER Erich
277 La miniature volée

KING Rufus
375 La femme qui a tué

LEBRUN Michel
1759 Plus mort que vif

MAGNAN Pierre
1778 Le sang des Atrides (*mars 85*)

MILLER Wade
1766 La foire aux crimes

NARCEJAC Thomas
355 La mort est du voyage
(*Prix du Roman d'Aventures 1948*)
1775 Le goût des larmes (*fév. 85*)

PALMER Stuart
117 Un meurtre dans l'aquarium

QUENTIN Patrick
166 Meurtre à l'université

ROSS Jonathan
1756 Une petite morte bien rangée

RUTLEDGE Nancy
1753 Emily le saura

SAYERS Dorothy L.
174 Lord Peter et l'autre
191 Lord Peter et le Bellona Club
1754 Arrêt du cœur

SHERRY Edna
1779 Ils ne m'auront pas (*mars 85*)

SLESAR Henri
1776 Mort pour rire (*fév. 85*)

STAGGE Jonathan
1736 Chansonnette funèbre
1771 Morphine à discrétion *(janv. 85)*

STEEMAN Stanislas-André
  84 Six hommes morts
     (Prix du Roman d'Aventures 1931)
  95 La nuit du 12 au 13
 101 Le mannequin assassiné
 284 L'assassin habite au 21

 388 Crimes à vendre
1772 Quai des Orfèvres *(janv. 85)*

TEY Josephine
1743 Elle n'en pense pas un mot

THOMAS Louis C.
1780 Poison d'avril *(mars 85)*

VERY Pierre
  60 Le testament de Basil Crookes
     (Prix du Roman d'Aventures 1930)

LE MASQUE

BABSON Marian
1712 Chapeau, miss Orpington !

BARNARD Robert
1714 Ah ! quelle famille

BENNETT Dorothea
1765 Deux et deux font trois

BENZIMRA André
1717 Pour te revoir, Jonathan

BRUCE Léo
1658 Le tueur d'Albert Park

BURLEY W.J.
1762 On vous mène en bateau

CHRISTIE Agatha
    (85 titres parus voir catalogue
    général)

CLARKE T.E.B.
1724 Meurtre au Palais de Buckingham

DEVINE Dominique
1725 Week-end tragique

ELLIN Stanley
1670 Le compagnon du fou
1682 La puce de Beidenbauer
1702 La douzième statue
1729 La dernière bouteille

EXBRAYAT
    (95 titres parus, voir catalogue
    général)

FERRARS Elisabeth
1704 Les cendres du passé

FERRIERE Jean-Pierre
1732 Un climat mortel

FORESTER C.S.
1706 A deux pas du gibet

GRAYSON Richard
1726 Meurtre sur la butte

GRIMES Martha
1703 Un si paisible village

GUIBERT Michel
1610 Le vieux monsieur aux chiens
    (Prix du Roman d'Aventures 1980)
1705 Et si on tuait Bérénice ?
1716 Le pot-au-feu de Mme da Ponte

HUMES Larry H.
1708 Saut périlleux

JOBSON Hamilton
1763 Pas un mot aux journaux !

LOVELL Marc
1693 Enquête au royaume des morts

McCLOY Helen
1697 Permission de tuer

MONAGHAN Hélène de
1379 La mauvaise part
    (Prix du Roman d'Aventures 1975)
1683 Demain six heures

POURUNJOUR Caroline
1746 Des voisins très inquiétants
    (Prix du Festival de Cognac 1984)

POWERS Elisabeth
1731 Tout ce qui brille

PRONZINI Bill
1737 L'arnaque est mon métier

RENDELL Ruth
1589 Étrange créature
1601 Le petit été de la Saint Luke
1616 Reviens-moi
1629 La banque ferme à midi
1640 Un amour importun
1649 Le lac des ténèbres
1661 L'inspecteur Wexford

1718 La fille qui venait de loin
1747 La fièvre dans le sang
1773 Qui ne tuerait le mandarin? *(fév. 85)*

ROUECHÉ Berton
1727 Le crime ne fait pas le bonheur

SALVA Pierre
1570 Des clients pour l'enfer
     (Prix du Roman d'Aventures 1979)
1707 Le diable et son train... électrique
1739 Quand le diable ricane

SIMPSON Dorothy
1710 Le secret de Julie

SMITH J.C.
1715 La clinique du Dr Ward

STEIN Aaron Marc
1760 Barbara sur les bras

TANUGI Gilbert
1699 Meurtres en eaux profondes
1709 Le jeune homme assassiné

TERREL Alexandre
1733 Rendez-vous sur ma tombe
1749 Le témoin est à la noce
     (Prix du Roman d'Aventures 1984)

1757 La morte à la fenêtre
1777 L'homme qui ne voulait pas tuer
     (mars 85)

THOMSON June
1594 Le crime de Hollowfield
1605 Pas l'un de nous
1720 Claire... et ses ombres
     (Prix du Roman d'Aventures 1983)
1721 Finch bat la campagne
1742 Péché mortel
1769 L'inconnue sans visage *(janv. 85)*

TRIPP Miles
1679 L'attentat du fort Saint-Nicolas
1700 Vol en solo

WAINWRIGHT John
1689 L'homme de loi
1711 Le prochain sur la liste

WATSON Colin
1701 Tempête sur Flaxborough

WYLLIE John
1722 La tête du client
1752 Pour tout l'or du Mali

Le Club
des Masques

ALDING Peter
531 Le gang des incendiaires

BAHR E.J.
493 L'étau

BARNARD Robert
535 Du sang bleu sur les mains

CARR John Dickson
423 Le fantôme frappe trois coups

CHEYNEY Peter
  6 Rendez-vous avec Callaghan
 23 Elles ne disent jamais quand
 31 Et rendez la monnaie
 41 Navrée de vous avoir dérangé
 57 Les courbes du destin
 74 L'impossible héritage

CHRISTIE Agatha
(85 titres parus, voir catalogue général)

CURTISS Ursula
525 Que désires-tu Célia ?

DIDELOT Francis
524 La loi du talion

ENDRÈBE Maurice Bernard
512 La vieille dame sans merci
543 Gondoles pour le cimetière
    (mars 85)

EXBRAYAT
(71 titres parus, voir catalogue général)

FERM BETTY
540 Le coupe-papier de Tolède (janv. 85)

FERRIÈRE Jean-Pierre
515 Cadavres en vacances
536 Cadavres en goguette (sept. 84)

FISH et ROTHBLATT
518 Une mort providentielle

FOLEY Rae
517 Un coureur de dot
527 Requiem pour un amour perdu

GILBERT Anthony
505 Le meurtre d'Edward Ross

HINXMAN Margaret
542 Le cadavre de 19 h 32 entre en gare
    (fév. 85)

IRISH William
405 Divorce à l'américaine
430 New York blues

KRUGER Paul
513 Brelan de femmes

LACOMBE Denis
456 La morte du Causse noir
481 Un cadavre sous la cendre

LANG Maria
509 Nous étions treize en classe

LEBRUN Michel
534 La tête du client

LONG Manning
519 Noël à l'arsenic
528 Pas d'émotions pour Madame

LOVELL Marc
497 Le fantôme vous dit bonjour

MARTENSON Jan
495 Le Prix Nobel et la mort

MONAGHAN Hélène de
452 Suite en noir
502 Noirs parfums

MORTON Anthony
545 Le baron les croque (mars 85)
546 Le baron et le receleur (mars 85)
547 Le baron est bon prince (mars 85)
548 Noces pour le baron (mars 85)

PICARD Gilbert
477 Le gang du crépuscule
490 L'assassin de l'été

RATHBONE Julian
511 A couteaux tirés

RENDELL Ruth
451 Qui a tué Charlie Hatton ?
501 L'analphabète
510 La danse de Salomé
516 Meurtre indexé
523 La police conduit le deuil
544 La maison de la mort

RODEN H.W.
526 On ne tue jamais assez

SALVA Pierre
475 Le diable dans la sacristie
484 Tous les chiens de l'enfer
503 Le trou du diable

SAYERS Dorothy L.
400 Les pièces du dossier

SIMPSON Dorothy
537 Le chat de la voisine

STOUT Rex
150 L'homme aux orchidées

STUBBS Jean
507 Chère Laura

SYMONS Julian
458 Dans la peau du rôle

THOMSON June
521 La Mariette est de sortie
540 Champignons vénéneux

UNDERWOOD Michaël
462 L'avocat sans perruque
485 Messieurs les jurés
531 La main de ma femme
539 La déesse de la mort

WAINWRIGHT John
522 Idées noires

WATSON Colin
467 Cœur solitaire

WILLIAMS David
541 Trésor en péril *(janv. 85)*

WINSOR Roy
491 Trois mobiles pour un crime

IMPRIMÉ EN FRANCE PAR BRODARD ET TAUPIN
58, rue Jean Bleuzen - Vanves - Usine de La Flèche.
ISBN : 2 - 7024 - 0042 - 6

H 31/0169/8